NEXUS Edu

LEVEL CHART

분야	교재	초1	초2	초3	초4	초5	초6	중1	중2	중3	고1	고2	고3
VOCA	초등필수 영단어 1-2·3-4·5-6학년용	■	■	■	■	■	■						
	The VOCA + (플러스) 1~7					■	■	■	■	■	■	■	
	THIS IS VOCABULARY 입문 · 초급 · 중급			■	■	■	■	■	■	■			
	THIS IS VOCABULARY 고급 · 어원 · 수능 완성 · 뉴텝스								■	■	■	■	■
Grammar	초등필수 영문법 + 쓰기 1~2			■	■	■	■						
	OK Grammar 1~4			■	■	■	■						
	This Is Grammar 초급~고급 (각 2권: 총 6권)					■	■	■	■	■	■	■	■
	Grammar 공감 1~3						■	■	■	■			
	Grammar 101 1~3						■	■	■	■			
	Grammar Bridge 1~3 (개정판)						■	■	■	■			
	중학영문법 뽀개기 1~3						■	■	■	■			
	The Grammar Starter, 1~3						■	■	■	■	■		
	구사일생 (구문독해 Basic) 1~2									■	■	■	■
	구문독해 204 1~2									■	■	■	■
	그래머 캡처 1~2								■	■	■	■	
	Grammar.Zip 1~2									■	■	■	■
	[특단] 어법어휘 모의고사									■	■	■	■

분야	교재	초1	초2	초3	초4	초5	초6	중1	중2	중3	고1	고2	고3
Writing	도전만점 중등내신 서술형 1~4						📖	📖	📖	📖			
	영어일기 영작패턴 1-A, B · 2-A, B				📖	📖	📖	📖	📖				
	Smart Writing 1~2				📖	📖	📖	📖	📖	📖			
Reading	Reading 공감 1~3						📖	📖	📖	📖			
	Reading 101 1~3						📖	📖	📖	📖			
	My Final Reading Book 1~3							📖	📖	📖			
	This Is Reading 1-1 ~ 3-2 (각 2권; 총 6권)						📖	📖	📖	📖	📖		
	This Is Reading 전면 개정판 1~4					📖	📖	📖	📖	📖	📖		
	원서 술술 읽는 Smart Reading Basic 1~2						📖	📖	📖	📖			
	원서 술술 읽는 Smart Reading 1~2									📖	📖	📖	
	[특단] 구문독해									📖	📖	📖	📖
	[특단] 독해유형									📖	📖	📖	📖
Listening	Listening 공감 1~3						📖	📖	📖	📖			
	The Listening 1~4					📖	📖	📖	📖	📖			
	After School Listening 1~3						📖	📖	📖	📖			
	도전! 만점 중학 영어듣기 모의고사 1~3						📖	📖	📖	📖			
	만점 적중 수능 듣기 모의고사 20회 · 35회									📖	📖	📖	📖
TEPS	NEW TEPS 기본편 실전 300⁺ 청해 · 문법 · 독해						📖	📖	📖	📖			
	NEW TEPS 실력편 실전 400⁺ 청해 · 문법 · 독해							📖	📖	📖	📖	📖	
	NEW TEPS 마스터편 실전 500⁺ 청해 · 문법 · 독해								📖	📖	📖	📖	📖

한번에 끝내는 중등 영어 독해

READING 101

LEVEL 2

READING 101 Level 2

지은이 영어교육연구소
펴낸이 최정심
펴낸곳 (주)GCC

출판신고 제 406-2018-000082호 ①
10880 경기도 파주시 지목로 5
전화 (031) 8071-5700 팩스 (031) 8071-5200

ISBN 979-11-89432-10-2 54740
979-11-89432-08-9 (SET)

가격은 뒤표지에 있습니다.
잘못 만들어진 책은 구입처에서 바꾸어 드립니다.

www.nexusbook.com

한번에 끝내는 중등 영어 독해

READING

LEVEL 2

영어교육연구소 지음

NEXUS Edu

101

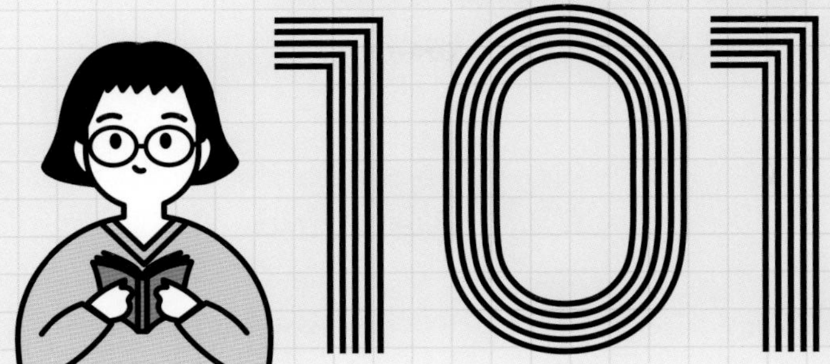

10+1가지의 특별함

1 **Diverse and Fun**
여행, 과학, 역사, 인물, 사회, 환경, IT 등을 바탕으로 한 다양하고 흥미로운 이야기

2 **Scholastic**
독해 실력 향상은 물론, 각종 실전 대비를 위한 독해유형별 5지선다형 문제풀이

3 **Open-ended**
내신 대비는 물론, 영어 실력을 쌓게 하는 서술형 문제풀이

4 **Authentic**
우리말이 아닌 영어로 의미를 정확히 파악하는 영영풀이 어휘 문제

5 **Comprehensive**
독해의 기본인 어휘력을 향상시키고 영작문을 최종 점검하는 유닛별 Review Test

6 **Native**
원어민 발음으로 이야기를 생생하게 들을 수 있는 지문 녹음 제공

7 **Trained**
숙련된 학습자를 만들기 위한 독해의 기본, 어휘력 강화 문제 제공(Workbook)

8 **Logical**
글의 흐름을 논리적으로 분석하기 위한 글의 순서 및 문장 삽입 문제 제공(Workbook)

9 **Available**
듣기 실력 향상은 물론 독해를 마스터할 수 있는 유용한 받아쓰기 제공(Workbook)

10 **Detailed**
구문 풀이를 통해 핵심 문법까지 학습할 수 있는 상세한 해설지 제공

+1 **Additional**
모바일 단어장, VOCA TEST, MP3 등 추가 모바일 자료 제공

1 다양한 독해 지문

총 10개 Unit, 30개의 지문으로 구성하였습니다. 다양한 주제의 글을 통해 재미있게 독해 학습을 할 수 있습니다. 글의 내용과 관련 있는 삽화를 통해 학교생활, 인문, 역사, 사회, 과학, 취미, 여행, IT 등 지문의 이해력을 높여줍니다.

2 영영풀이

영단어의 의미를 영어로 정확히 파악하는 영영풀이 어휘 문제가 제공되어 영어식 사고력을 높여줍니다.

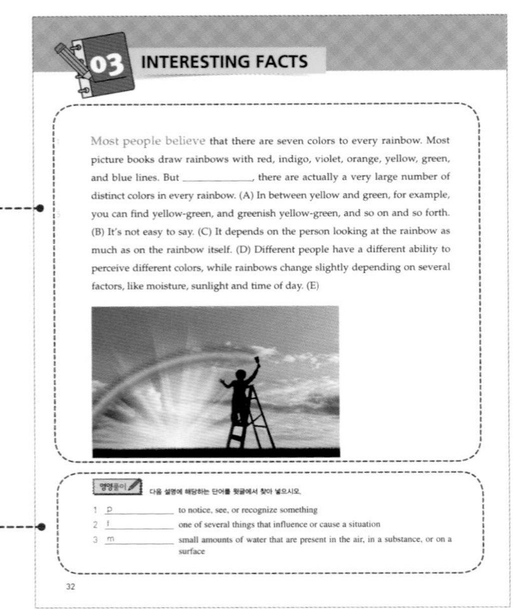
03 INTERESTING FACTS

Most people believe that there are seven colors to every rainbow. Most picture books draw rainbows with red, indigo, violet, orange, yellow, green, and blue lines. But ____________, there are actually a very large number of distinct colors in every rainbow. (A) In between yellow and green, for example, you can find yellow-green, and greenish yellow-green, and so on and so forth. (B) It's not easy to say. (C) It depends on the person looking at the rainbow as much as on the rainbow itself. (D) Different people have a different ability to perceive different colors, while rainbows change slightly depending on several factors, like moisture, sunlight and time of day. (E)

영영풀이 다음 설명에 해당하는 단어를 윗글에서 찾아 넣으시오.

1 p____________ to notice, see, or recognize something
2 f____________ one of several things that influence or cause a situation
3 m____________ small amounts of water that are present in the air, in a substance, or on a surface

32

3 시험에 꼭 나오는 문제

중·고등학교 내신과 수능에 자주 출제되는 독해 문제 유형을 쏙쏙 뽑아 실전에 대비할 수 있도록 구성했습니다. 서술형 문제를 통해 다양한 시험 대비는 물론, 영어 실력의 기본기를 탄탄히 쌓을 수 있습니다.

정답 및 해설 p.9

1 윗글의 빈칸에 들어갈 알맞은 말은?

① for example ② in a different way
③ as one example ④ in reality
⑤ in a similar way

2 윗글의 흐름으로 보아, (A) ~ (E) 중에서 주어진 문장이 들어가기에 가장 적절한 곳은?

So, how many colors are there in a rainbow?

① (A) ② (B) ③ (C) ④ (D) ⑤ (E)

3 윗글의 내용과 일치하지 않는 것은?

① There are not just seven colors in a rainbow.
② You can say exactly how many colors there are in a rainbow.
③ You can find yellow-green and greenish yellow-green colors in a rainbow.
④ People generally believe that there are seven colors in a rainbow.
⑤ Moisture, sunlight, and time of day are factors which change rainbows' colors.

서술형

4 윗글에서 다음 설명에 해당하는 단어를 찾아 영어로 쓰시오. (1단어)

clearly different or belonging to a different type

VOCA 101
indigo n. 진한 남색
a number of 많은, 다수의
perceive v. ~을 지각하다, 인지하다
moisture n. 습기, 수분
violet n. 보라색
depend on ~에 달려 있다
slightly ad. 약간
distinct a. 별개의, ~와 다른
ability n. 능력
factor n. 요인

4 VOCA 101

지문에 나온 어려운 어휘들을 다시 정리함으로써 독해력의 기본인 어휘력을 향상 시킬 수 있습니다.

5 Review Test

독해 지문에 쓰인 어휘의 뜻은 물론, 동의어 또는 유의어를 확인 학습할 수 있는 문제를 제공합니다. 각각의 지문에서 학습한 중요 문장들을 영작해 볼 수 있는 문제를 통해 서술형 시험에 대비할 수 있습니다.

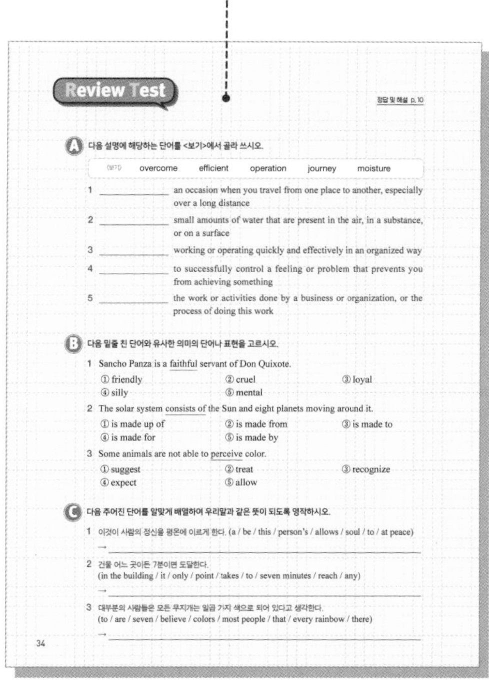

Review Test

정답 및 해설 p. 10

A 다음 설명에 해당하는 단어를 <보기>에서 골라 쓰시오.

<보기> overcome efficient operation journey moisture

1 ________ an occasion when you travel from one place to another, especially over a long distance
2 ________ small amounts of water that are present in the air, in a substance, or on a surface
3 ________ working or operating quickly and effectively in an organized way
4 ________ to successfully control a feeling or problem that prevents you from achieving something
5 ________ the work or activities done by a business or organization, or the process of doing this work

B 다음 밑줄 친 단어와 유사한 의미의 단어나 표현을 고르시오.

1 Sancho Panza is a faithful servant of Don Quixote.
① friendly ② cruel ③ loyal ④ silly ⑤ mental

2 The solar system consists of the Sun and eight planets moving around it.
① is made up of ② is made from ③ is made to ④ is made for ⑤ is made by

3 Some animals are not able to perceive color.
① suggest ② treat ③ recognize ④ expect ⑤ allow

C 다음 주어진 단어를 알맞게 배열하여 우리말과 같은 뜻이 되도록 영작하시오.

1 이것이 사람의 정신을 평온에 이르게 한다. (a / be / this / person's / allows / soul / to / at peace)
→ ________

2 건물 어느 곳이든 7분이면 도달한다.
(in the building / it / only / point / takes / to / seven minutes / reach / any)
→ ________

3 대부분의 사람들은 모든 무지개는 일곱 가지 색으로 되어 있다고 생각한다.
(to / are / seven / believe / colors / most people / that / every rainbow / there)
→ ________

34

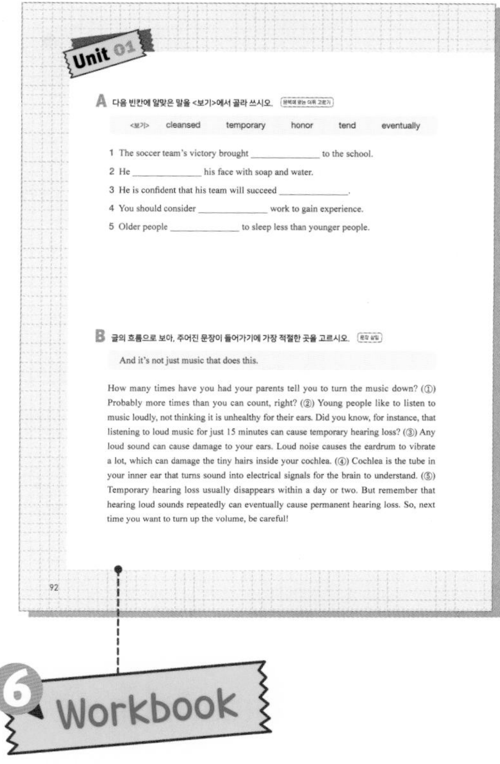

Unit 01

A 다음 빈칸에 알맞은 말을 <보기>에서 골라 쓰시오.

<보기> cleansed temporary honor tend eventually

1 The soccer team's victory brought ________ to the school.
2 He ________ his face with soap and water.
3 He is confident that his team will succeed ________.
4 You should consider ________ work to gain experience.
5 Older people ________ to sleep less than younger people.

B 글의 흐름으로 보아, 주어진 문장이 들어가기에 가장 적절한 곳을 고르시오.

And it's not just music that does this.

How many times have you had your parents tell you to turn the music down? (①) Probably more times than you can count, right? (②) Young people like to listen to music loudly, not thinking it is unhealthy for their ears. Did you know, for instance, that listening to loud music for just 15 minutes can cause temporary hearing loss? (③) Any loud sound can cause damage to your ears. Loud noise causes the eardrum to vibrate a lot, which can damage the tiny hairs inside your cochlea. (④) Cochlea is the tube in your inner ear that turns sound into electrical signals for the brain to understand. (⑤) Temporary hearing loss usually disappears within a day or two. But remember that hearing loud sounds repeatedly can eventually cause permanent hearing loss. So, next time you want to turn up the volume, be careful!

92

6 Workbook

각 Unit에 나온 지문들을 이용한 『내신+수능』에 꼭 나오는 독해 유형 문제를 추가적으로 풀어 보도록 구성했습니다. 또한, 제공되는 음원으로 본문 받아쓰기를 해 보면서 독해력은 물론 청취력까지 향상시킬 수 있습니다.

MP3 듣기

어휘 리스트
& 테스트지

모바일 단어장
& VOCA TEST

www.nexusbook.com

CONTENTS

UNIT 01

1. GEOGRAPHY 힌두 문화의 중심지, 갠지스강 12
2. INTERESTING FACTS 볼륨을 높이면 어떤 일이 일어날까? 14
3. HEALTH 핸드폰 사용 시, 조심할 것은 전자파만이 아니다! 16

UNIT 02

1. BRILLIANT INVENTIONS 세계 최초의 지하철 시스템 20
2. ORIGIN 달력이 없다면 무슨 일이 일어날까? 22
3. TALES FROM THE WORLD 은혜 갚은 참새 이야기 24

UNIT 03

1. CULTURE & RELIGION 자기 수양, 해탈에 이르는 길 28
2. ARCHITECTURE 미국 국방성 본부의 비밀 30
3. INTERESTING FACTS 일곱 빛깔 무지개? 32

UNIT 04

1. ADVENTURE 284일간의 세계 항해 일주 36
2. CHALLENGE 뜨거운 사막에서 펼쳐지는 특별한 경주 38
3. ENTERTAINMENT 뮤지컬, 레미제라블 40

UNIT 05

1. CULTURE & CUSTOMS 기모노를 한번 입어 볼까? 44
2. MYSTERY 버뮤다 삼각지의 미스터리 46
3. INTERESTING FACTS 신비한 동물의 왕국 48

UNIT 06
1 ENVIRONMENT 섬이 사라지는 이유 52
2 GEOGRAPHY 실크로드는 비단으로 만들어진 길? 54
3 SPORTS 스포츠는 단순한 게임 정도가 아니야! 56

UNIT 07
1 PEOPLE 천재 화가, 파블로 피카소 60
2 BRILLIANT INVENTIONS 햄버거는 누가 만들었을까? 62
3 SCHOOL LIFE 방과 후 동아리 활동 64

UNIT 08
1 ORIGIN 청바지의 기원 68
2 HISTORY & CULTURE 왕을 지켜라! 진시황릉의 진흙군대 70
3 INTERESTING FACTS 화성의 진실 72

UNIT 09
1 ARCHITECTURE 위대한 사랑, 타지마할 76
2 ADVENTURE 에베레스트, 정복당하다 78
3 MYSTERY 크롭 서클, 정말 외계인의 메시지일까? 80

UNIT 10
1 WINTER EVENTS 알래스카의 설원을 달리다! 84
2 CULTURE & CUSTOMS 추수감사절에 왜 칠면조를 먹을까? 86
3 ENVIRONMENT 나무야 나무야, 누워서 자라! 88

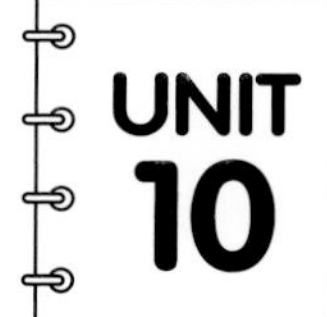
WORKBOOK 92

UNIT 01

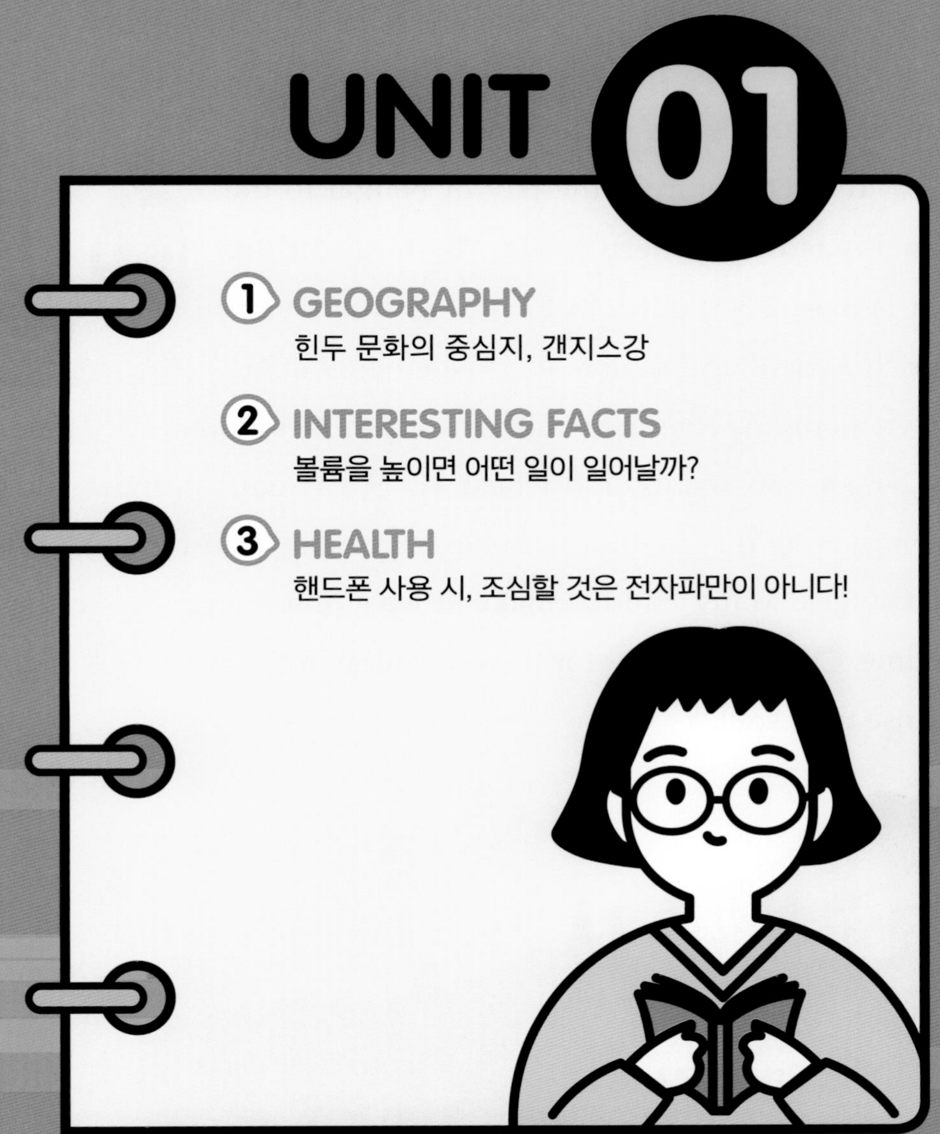

1 GEOGRAPHY
힌두 문화의 중심지, 갠지스강

2 INTERESTING FACTS
볼륨을 높이면 어떤 일이 일어날까?

3 HEALTH
핸드폰 사용 시, 조심할 것은 전자파만이 아니다!

01 GEOGRAPHY

The Ganges is one of the world's great rivers. (A) ⓐ It stretches from the Bay of Bengal to the Himalayas of northern India. (B) In addition, ⓑ it is over 1,500 miles in length! ⓒ It is a very (a) rich agricultural region. (C) The crops that are grown along the river feed millions of people in India. (D) These crops include rice, sugarcane, lentils, and wheat. (E) For Hindus in India, the Ganges is not just a river. ⓓ It is a goddess. Some important Hindu festivals take place along the Ganges. Many Hindus make at least one pilgrimage to the river in their lifetime. ⓔ It is an honor for them to bathe in the river. This is done in order to cleanse their soul.

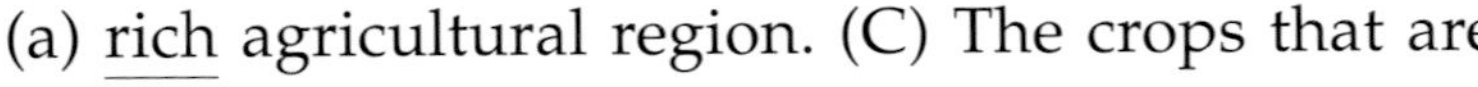

* pilgrimage 순례

영영풀이 다음 설명에 해당하는 단어를 윗글에서 찾아 넣으시오.

1 s__________ to spread out or cover a large area of land

2 a__________ connected with the science or practice of farming

3 c__________ a plant such as wheat, rice, or fruit that is grown by farmers and used as food

정답 및 해설 p. 2

1 윗글의 밑줄 친 (a) rich의 의미로 가장 적절한 것은? [어휘]

① extremely large
② highly developed
③ very crowded with people
④ usually very hot and humid
⑤ good for growing crops and plants

2 윗글 ⓐ ~ ⓔ 중 가리키는 대상이 나머지 넷과 다른 것은? [지칭 추론]

① ⓐ ② ⓑ ③ ⓒ ④ ⓓ ⑤ ⓔ

3 글의 흐름으로 보아, 주어진 문장이 들어가기에 가장 적절한 곳은? [주어진 문장 넣기]

The river is also important religiously.

① (A) ② (B) ③ (C) ④ (D) ⑤ (E)

4 Why do many Hindus bathe in the Ganges? [세부 사항]

____

VOCA 101

stretch v. 뻗어 있다
crop n. 농작물
honor n. 명예, 영광
length n. 길이
feed v. ~을 먹이다, 먹여 살리다
cleanse v. ~을 깨끗이 하다
agricultural a. 농업의
lifetime n. 일생, 생애
soul n. 영혼

02 INTERESTING FACTS

How many times have you had your parents tell you to turn the music down? Probably more times than you can count, right? Young people like to listen to music loudly, not thinking it is unhealthy for their ears. Did you know, for instance, that listening to loud music for just 15 minutes can cause temporary hearing loss? And it's not just music that does <u>this</u>. Any loud sound can cause damage to your ears. Loud noise causes the eardrum to vibrate a lot, which can damage the tiny hairs inside your cochlea. Cochlea is the tube in your inner ear that turns sound into electrical signals for the brain to understand. Temporary hearing loss usually disappears within a day or two. But remember that hearing loud sounds repeatedly can eventually cause permanent hearing loss. So, next time you want to turn up the volume, be careful!

* cochlea (귀 안의) 달팽이관

영영풀이 다음 설명에 해당하는 단어를 윗글에서 찾아 넣으시오.

1 v__________ to shake slightly and quickly

2 s__________ an action, movement, or sound that gives information, a message, a warning, or an order

3 p__________ continuing to exist for a long time or for all the time in the future

정답 및 해설 p. 2

1 윗글의 밑줄 친 this가 가리키는 것을 본문에서 찾아 영어로 쓰시오. (4단어) [지칭 추론]

____

2 윗글의 요지로 알맞은 것은? [요지 찾기]

① Listening to loud music is fun.
② Loud noise causes the eardrum to vibrate a lot.
③ Listening to any loud noises can cause damage to your ears.
④ Hearing loud sounds repeatedly do not cause permanent hearing loss.
⑤ Be careful to turn up the volume of the radio.

3 윗글을 쓴 목적으로 가장 알맞은 것은? [목적 찾기]

① to report ② to explain ③ to criticize
④ to thank ⑤ to warn

4 다음은 소음이 우리 귀에 미치는 영향을 정리한 것이다. 빈칸을 채우시오. [요약문 완성하기]

Loud noise hurts our ears. It causes the eardrum to ____________ a lot, which can damage the tiny hairs inside your cochlea, the tube in your inner ear that turns sound into ____________ ____________ for the brain to understand.

VOCA 101

temporary a. 일시적인
eardrum n. 고막
inner a. 안의
within prep. ~ 이내의
permanent a. 영구적인
loss n. 손실
vibrate v. 진동하다, 떨리다
signal n. 신호
repeatedly ad. 되풀이하여
damage n. 손상 v. 손상시키다
tiny a. 아주 작은
disappear v. 사라지다
eventually ad. 마침내

03 HEALTH

Nowadays, it's common sense that too much cellphone use can cause problems to our bodies. (A) The main cause of those problems is electromagnetic waves. The studies about effects of electromagnetic waves on human body are still continuing, but we already know that it can cause a headache, leukemia, a brain tumor, etc.

(B) There are problems besides those resulting from electromagnetic waves. Did you know that speaking too loudly on your cellphone can be bad for your health? Well, it's true. (C) Using cellphones has many harmful effects so teenagers should minimize it. Scientists found that teenagers' vocal chords can be harmed if they use their cellphones for more than 10 minutes a day. (D) Teens tend to speak more loudly on the phone, particularly on cellphones. (E) This can lead to vocal-chord-related problems.

영영풀이 다음 설명에 해당하는 단어를 윗글에서 찾아 넣으시오.

1 e__________ a change that is caused by an event, action, etc.

2 c__________ to make something happen, especially something bad

3 h__________ causing damage or injury

1 윗글의 밑줄 친 (A) ~ (E) 중 글의 흐름과 어울리지 않는 것은? [무관한 문장 찾기]

① (A) ② (B) ③ (C) ④ (D) ⑤ (E)

2 윗글의 내용으로 볼 때, 십 대들이 휴대 전화를 사용하면 성대가 상하는 원인은? [세부 사항]

① They have loud voice.
② They don't talk louder than usual.
③ Friends can't hear them well if the voice is low.
④ They want everybody around them to hear.
⑤ They often speak loudly on cellphones.

3 윗글에서 휴대 전화 사용으로 인해 생기는 문제들로 언급하지 않은 것은? [내용 불일치]

① headache ② leukemia
③ brain tumor ④ loss of sense of hearing
⑤ vocal-chord-related problems

서술형

4 윗글을 읽고 빈칸을 채워 줄거리를 완성하시오. [요약문 완성]

Teenagers generally use their cellphones for more than ten minutes every day and when they talk on cellphones they talk louder than usual. Scientists found that when people speak loudly on their cellphones, it can lead to ______________ problems.

VOCA 101

common sense n. 상식
leukemia n. 백혈병
result from ~에서 비롯되다
vocal chord n. 성대
electromagnetic wave 전자파
brain tumor 뇌종양
harmful a. 해로운
tend to ~하는 경향이 있다
headache n. 두통
besides prep. ~외에
minimize v. 줄이다
particularly ad. 특히

정답 및 해설 p. 4

A 다음 설명에 해당하는 단어를 <보기>에서 골라 쓰시오.

〈보기〉 crop   stretch   harmful   permanent   vibrate

1 ______________ to shake slightly and quickly

2 ______________ a plant such as wheat, rice, or fruit that is grown by farmers and used as food

3 ______________ causing damage or injury

4 ______________ to spread out or cover a large area of land

5 ______________ continuing to exist for a long time or for all the time in the future

B 다음 밑줄 친 단어와 유사한 의미의 단어나 표현을 고르시오.

1 The "Hi Seoul" festival <u>takes place</u> in May every year.

① happens ② joins ③ leaves
④ announces ⑤ permits

2 The man <u>repeatedly</u> told me about his family.

① temporarily ② additionally ③ usually
④ uncomfortably ⑤ continually

3 Your decision can <u>cause</u> many problems in the near future.

① reduce ② contact ③ lead to
④ take away ⑤ check out

C 다음 주어진 단어를 알맞게 배열하여 우리말과 같은 뜻이 되도록 영작하시오.

1 그들에게 그 강에서 목욕하는 것은 영광이다.
(an honor / in the river / bathe / is / to / it / for them)

→ ____

2 시끄러운 소리라면 어떤 것이든 당신의 귀를 손상시킬 수 있다.
(ears / any / damage / to / loud / can / sound / your / cause)

→ ____

3 십 대는 전화할 때 평소보다 큰 소리로 말하는 경향이 있다.
(tend to / the phone / loudly / speak / teens / more / on)

→ ____

UNIT 02

1 BRILLIANT INVENTIONS
세계 최초의 지하철 시스템

2 ORIGIN
달력이 없다면 무슨 일이 일어날까?

3 TALES FROM THE WORLD
은혜 갚은 참새 이야기

BRILLIANT INVENTIONS

Many modern cities have large, underground train systems ⓐ called subways.

(A)

Finally, in 1890, the first electric subway cars ⓑ were introduced in London's underground railway system. This electric technology was very successful. It spread very quickly into Europe and North America.

(B)

Do you know where the first underground subway system was constructed? The English government decided ⓒ to build a system to reduce heavy traffic congestion in the city. In 1863, the first subway system opened in London.

(C)

However, the trains were steam powered. This created a big problem because steam would gather in the tunnels. This made the journey very ⓓ uncomfortably for passengers and subway operators. Engineers started ⓔ to design a new system.

영영풀이 다음 설명에 해당하는 단어를 윗글에서 찾아 넣으시오.

1 c__________ to build something such as a house, bridge, road, etc.

2 c__________ the problem of too much traffic in a place

3 p__________ someone who is travelling in a vehicle, plane, boat, etc., but is not driving it or working on it

정답 및 해설 p. 5

1 윗글 (A), (B), (C)의 순서로 가장 적절한 것은? [글의 순서 정하기]

① (A) - (B) - (C)
② (A) - (C) - (B)
③ (B) - (A) - (C)
④ (B) - (C) - (A)
⑤ (C) - (A) - (B)

2 윗글의 ⓐ ~ ⓔ 중 어법상 틀린 것은? [어법]

① ⓐ ② ⓑ ③ ⓒ ④ ⓓ ⑤ ⓔ

3 Why did the English government decide to construct the subway system? [세부 사항]

① to help reduce air pollution
② to decrease traffic accidents
③ to solve traffic jam problems
④ to provide cheap public transportation
⑤ to offer more comfortable public transportation

4 윗글의 밑줄 친 This가 가리키는 것을 본문에서 찾아 영어로 쓰시오. (5단어) [지칭 추론]

___

VOCA 101

underground a. 지하의	introduce v. ~을 도입[소개]하다	technology n. 과학 기술, 공학
construct v. ~을 건설하다	government n. 정부	traffic n. 교통, 통행
congestion n. 정체, 막힘	gather v. 모이다, 쌓이다	journey n. 여행, 이동
uncomfortably ad. 불편하게	operator n. 조종자, 기사	

02 ORIGIN

If there were no calendars, what would happen? We would not be able to know what day, month, or year it was. In addition, we wouldn't be able to make any future plans. How was the first calendar invented? The origin of the calendar begins with the study of astronomy. The cycle of the Moon was very important to the development of early calendars. Early civilizations measured each month by the cycle of the Moon. Each cycle of the Moon has four phases. The first phase is the New Moon. The second phase is the First Quarter. The third phase is the Full Moon. The last phase is the Last Quarter. After that, a new month would begin with the New Moon. However, this system failed to spread around the world because it could not measure the passage of time correctly.

* astronomy 천문학

영영풀이 다음 설명에 해당하는 단어를 윗글에서 찾아 넣으시오.

1 c__________ a number of related events that happen again and again in the same order

2 m__________ to find the size, length, or amount of something, using standard units such as inches, meters, etc.

3 p__________ one of the stages of a process of development or change

정답 및 해설 p. 5

1 윗글의 밑줄 친 this system이 가리키는 것으로 가장 적절한 것은? 지칭 추론

① using calendars
② study of astronomy
③ making future plans
④ measuring the passage of time
⑤ measuring months by the cycle of the Moon

2 윗글의 내용을 요약하고자 한다. 빈칸 (A)와 (B)에 들어갈 말로 가장 적절한 것은? 요약문 완성하기

The cycle of the Moon played a big role in ___(A)___ early calendars, but it turned out to be not ___(B)___.

	(A)		(B)
①	inventing	…	wrong
②	spreading	…	right
③	developing	…	accurate
④	changing	…	false
⑤	beginning	…	untrue

3 What are the four phases of the cycle of the Moon? 세부 사항

____

VOCA 101

calendar n. 달력
cycle n. 순환, 주기
measure v. ~을 측정하다
invent v. ~을 발명하다
important a. 중요한
phase n. 단계
origin n. 기원, 유래
civilization n. 문명
correctly ad. 올바르게, 정확히

03 TALES FROM THE WORLD

One morning, an old woman saw a little sparrow on her doorstep. She felt sorry for the sparrow and she fed ⓐ him, then let him go, so that he could fly home. But the sparrow decided to stay with the woman and thank her with ⓑ his songs every morning.

Nearby lived an old woman who did not like to be awakened so early. She became so angry that she finally cut the sparrow's tongue. The poor little sparrow flew away to his home after this, but ⓒ he could never sing again.

When the kind woman found out what had happened, she said to her husband, "Let's go and find our little sparrow." After setting out, they asked every bird they met by if they knew where the sparrow that couldn't sing lived. At last, they found the home of ⓓ their little friend.

When he saw them coming, the sparrow was very happy. That night, when ⓔ the man and the woman started for their home again, the sparrow gave them a basket. When the old man and the woman got home, they opened the basket, and found gold and precious silk. They were rich forever.

영영풀이 다음 설명에 해당하는 단어를 윗글에서 찾아 넣으시오.

1 a__________ to stop sleeping or to make someone stop sleeping

2 f__________ to get information, after trying to discover it or by chance

3 p__________ of great value because of being rare, expensive, or important

정답 및 해설 p. 6

1 윗글의 밑줄 친 ⓐ ~ ⓔ 중, 가리키는 대상이 나머지와 다른 것은? [지칭 추론]

① ⓐ ② ⓑ ③ ⓒ ④ ⓓ ⑤ ⓔ

2 윗글의 내용으로 볼 때, 참새가 할머니 집에 머물기로 한 이유는? [세부 사항]

① to get some food from her
② to bother her by his song
③ to thank her for her kindness
④ to wake her up early in the morning
⑤ to find gold in her house

3 윗글의 내용과 일치하는 것은? [내용 일치]

① The husband was angry at the sparrow for singing too early.
② The old woman wanted to find the sparrow without her husband.
③ The neighbor loved to listen to the sparrow's song in the morning.
④ The angry husband cut the sparrow's tongue, and it flew away.
⑤ The old couple took the basket back home and became rich.

4 윗글을 읽고 빈칸을 채워 줄거리를 완성하시오. [요약문 완성하기]

An old woman helped a __________, which sang for her until a neighbor cut its tongue. Afterwards, the kind old woman and her husband went to visit the __________. They were given many valuable things and became rich.

VOCA 101

sparrow n. 참새	doorstep n. (현관문 밖의) 단	decide v. 결심하다
awake v. 깨우다	tongue n. 혀	find out ~을 알아내다
set out 출발하다	basket n. 바구니	precious a. 값비싼

정답 및 해설 p. 7

A 다음 설명에 해당하는 단어를 <보기>에서 골라 쓰시오.

〈보기〉 construct　measure　find out　congestion　awaken

1 ______________ to get information, after trying to discover it or by chance

2 ______________ the problem of too much traffic in a place

3 ______________ to build something such as a house, bridge, road, etc.

4 ______________ to stop sleeping or to make someone stop sleeping

5 ______________ to find the size, length, or amount of something, using standard units such as inches, meters, etc.

B 다음 밑줄 친 단어와 유사한 의미의 단어를 고르시오.

1 The new government has a plan to <u>reduce</u> the cost of education.

① cancel　② remove　③ apply
④ decrease　⑤ permit

2 Car accidents often <u>happen</u> in this area, so be careful.

① include　② expect　③ delay
④ save　⑤ occur

3 The treasure box was full of <u>precious</u> jewels.

① insignificant　② valuable　③ countless
④ abundant　⑤ correct

C 다음 주어진 단어를 알맞게 배열하여 우리말과 같은 뜻이 되도록 영작하시오.

1 이것이 승객들과 지하철 기관사들에게 그 여행을 매우 불편하게 만들었다. (subway operators / this / the journey / and / for passengers / made / uncomfortable / very)

→ ____

2 만약 달력이 없다면 어떤 일이 일어날까?
(what / no / there / happen / if / would / calendars / were)

→ ____

3 근처에는 그렇게 일찍 잠을 깨는 것을 좋아하지 않는 노파가 살고 있었다.
(who / lived / so early / like / an old woman / did not / to be awakened)

→ Nearby ____.

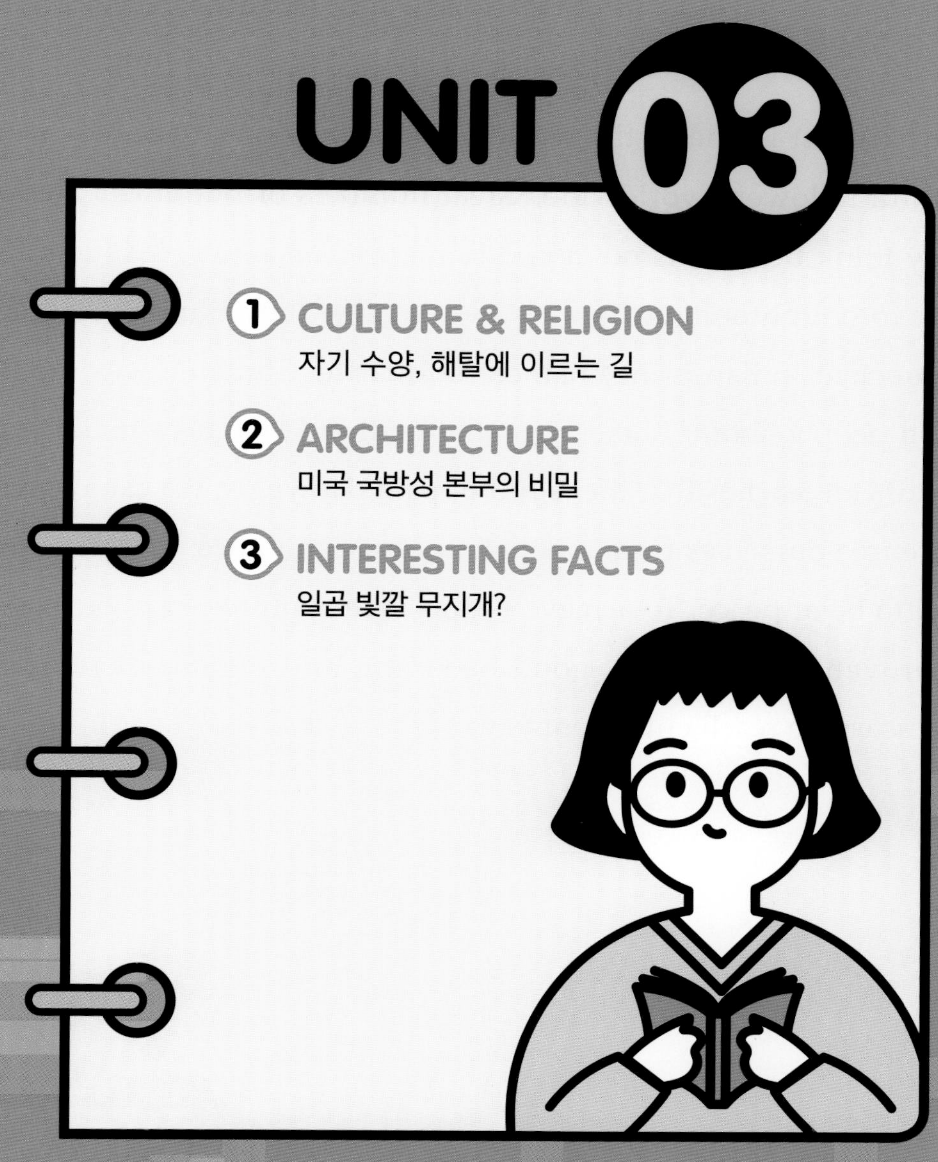
UNIT 03
1 CULTURE & RELIGION
자기 수양, 해탈에 이르는 길
2 ARCHITECTURE
미국 국방성 본부의 비밀
3 INTERESTING FACTS
일곱 빛깔 무지개?

01 CULTURE & RELIGION

Buddhism is one of the world's major religions. ⓐ It has over 300 million faithful followers worldwide. Great numbers of Buddhists are found in Asia. They think Buddha is not a god but a teacher who helps them find their own way to enlightenment. ____________, ⓑ they honor Buddha's teachings. An ancient Indian prince named Siddhartha Gautama was the first person to teach people about "the enlightened path." ⓒ He became known as Buddha. Buddhism teaches that life is full of pain. However, we can overcome this pain if we free ourselves from greed, hate, and ignorance. ⓓ This allows a person's soul to be at peace. To achieve ⓔ this, one ventures on a journey towards self-improvement. Wisdom, good behavior, and mental development are also necessary to reach enlightenment.

* enlightenment 깨달음, 해탈
** self-improvement 자기 수양

영영풀이 다음 설명에 해당하는 단어를 윗글에서 찾아 넣으시오.

1 f____________ remaining loyal to a particular person, belief, political party, etc. and continuing to support them

2 o____________ to successfully control a feeling or problem that prevents you from achieving something

3 j____________ an occasion when you travel from one place to another, especially over a long distance

정답 및 해설 p. 8

1 윗글의 빈칸에 들어갈 말로 가장 적절한 것은? (빈칸 완성)

① Likewise
② Meanwhile
③ For this reason
④ In conclusion
⑤ On the other hand

2 윗글의 밑줄 친 ⓐ ~ ⓔ가 가리키는 것이 알맞지 않은 것은? (지칭 추론)

① ⓐ It – Buddhism
② ⓑ they – major religions
③ ⓒ He – Siddhartha Gautama
④ ⓓ This – to free ourselves from greed, hate, and ignorance
⑤ ⓔ this – to have one's soul at peace

3 윗글의 밑줄 친 to부정사 to reach와 쓰임이 같은 것은? (어법)

① To become a good writer is my dream.
② I have a good plan to make her feel better.
③ My plan is to travel all around the world by ship.
④ She wants to become a police officer in the future.
⑤ Martha doesn't eat anything after 6 p.m. to lose weight.

VOCA 101

religion n. 종교
pain n. 고통
achieve v. ~을 이루다, 성취하다
behavior n. 행동
faithful a. 충실한, 신의 있는
greed n. 탐욕
venture on (위험을 무릅쓰고) ~을 하다
mental a. 마음의, 정신의
overcome v. ~을 극복하다
ignorance n. 무지, 무식
wisdom n. 지혜

02 ARCHITECTURE

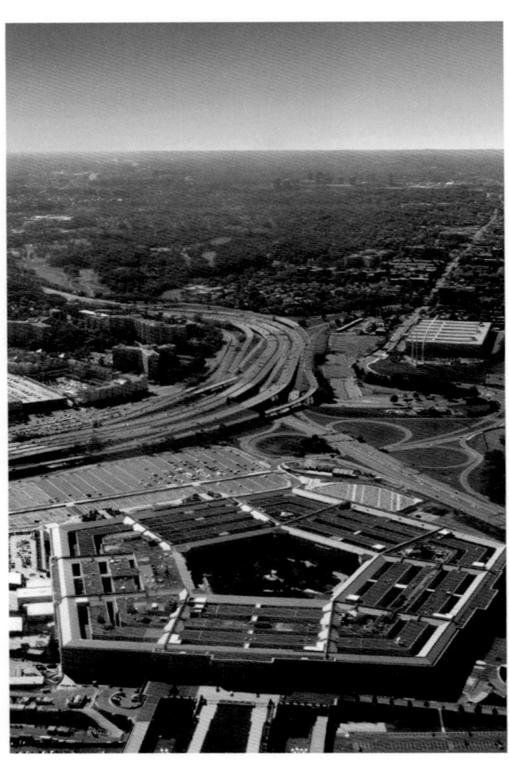

The Pentagon is located in Arlington, Virginia, and it serves as the headquarters of the United States Department of Defense. ⓐ It consists of five triangles connected by corridors. Due to ⓑ its famous five-sided shape, ⓒ it is one of the most unique buildings in the world. The Pentagon has more than 3.7 million square feet of office space. ______________ ⓓ its huge size, it takes only seven minutes to reach any point in the building. This allows operations in the building to be extremely efficient. Over 23,000 employees work at the Pentagon, including the Joint Chiefs of Staff, the Secretary of Defense, and other members of the military. The building is often compared to a small city. The United States military is able to control all of ⓔ its armed forces from this one building.

* the Joint Chiefs of Staff 합동 참모 본부(미국 국인 지도자 단체)
** the Secretary of Defense 국방 장관

영영풀이 다음 설명에 해당하는 단어를 윗글에서 찾아 넣으시오.

1 o______________ the work or activities done by a business or organization, or the process of doing this work

2 e______________ working or operating quickly and effectively in an organized way

3 e______________ someone who is paid to work for someone else

정답 및 해설 p. 8

1 윗글의 빈칸에 들어갈 말로 가장 적절한 것은? 빈칸 완성

① In case of ② Because of
③ In spite of ④ As well as
⑤ Due to

2 윗글의 ⓐ ~ ⓔ 중 가리키는 대상이 나머지 넷과 다른 것은? 지칭 추론

① ⓐ ② ⓑ ③ ⓒ ④ ⓓ ⑤ ⓔ

3 윗글의 내용과 일치하지 않는 것은? 내용 불일치

① 펜타곤은 미국 국방성 건물이다.
② 펜타곤은 5개의 오각형 모양이 연결된 건물이다.
③ 미군은 펜타곤에서 모든 군대를 통솔할 수 있다.
④ 펜타곤은 세계에서 가장 특이하게 디자인된 건물 중 하나이다.
⑤ 합동 참모 본부, 국방 장관 등 23,000여 명이 이 건물에서 일하고 있다.

4 펜타곤의 어떤 점이 건물에서 효율적인 업무를 가능하게 하는지 윗글에서 찾아 우리말로 쓰시오. 세부 사항

____

VOCA 101

be located in ~에 위치하다
consist of ~로 구성되다
square a. 제곱의
employee n. 피고용자, 종업원
serve v. ~의 역할을 하다
corridor n. 복도, 통로
operation n. 기능, 운영, 작용
armed forces 군대
headquarters n. 본부
shape n. 모양
efficient a. 효율적인, 능률적인

INTERESTING FACTS

Most people believe that there are seven colors to every rainbow. Most picture books draw rainbows with red, indigo, violet, orange, yellow, green, and blue lines. But ______________, there are actually a very large number of distinct colors in every rainbow. (A) In between yellow and green, for example, you can find yellow-green, and greenish yellow-green, and so on and so forth. (B) It's not easy to say. (C) It depends on the person looking at the rainbow as much as on the rainbow itself. (D) Different people have a different ability to perceive different colors, while rainbows change slightly depending on several factors, like moisture, sunlight and time of day. (E)

영영풀이 다음 설명에 해당하는 단어를 윗글에서 찾아 넣으시오.

1 p______________ to notice, see, or recognize something

2 f______________ one of several things that influence or cause a situation

3 m______________ small amounts of water that are present in the air, in a substance, or on a surface

1 윗글의 빈칸에 들어갈 알맞은 말은? [빈칸 완성]

① for example
② in a different way
③ as one example
④ in reality
⑤ in a similar way

2 윗글의 흐름으로 보아, (A) ~ (E) 중에서 주어진 문장이 들어가기에 가장 적절한 곳은? [주어진 문장 넣기]

So, how many colors are there in a rainbow?

① (A) ② (B) ③ (C) ④ (D) ⑤ (E)

3 윗글의 내용과 일치하지 않는 것은? [내용 불일치]

① There are not just seven colors in a rainbow.
② You can say exactly how many colors there are in a rainbow.
③ You can find yellow-green and greenish yellow-green colors in a rainbow.
④ People generally believe that there are seven colors in a rainbow.
⑤ Moisture, sunlight, and time of day are factors which change rainbows' colors.

서술형

4 윗글에서 다음 설명에 해당하는 단어를 찾아 영어로 쓰시오. (1단어) [어휘]

clearly different or belonging to a different type

____

VOCA 101

indigo n. 진한 남색
a number of 많은, 다수의
perceive v. ~을 지각하다, 인지하다
moisture n. 습기, 수분
violet n. 보라색
depend on ~에 달려 있다
slightly ad. 약간
distinct a. 별개의, ~와 다른
ability n. 능력
factor n. 요인

정답 및 해설 p. 10

A 다음 설명에 해당하는 단어를 <보기>에서 골라 쓰시오.

〈보기〉 overcome efficient operation journey moisture

1 ______________ an occasion when you travel from one place to another, especially over a long distance

2 ______________ small amounts of water that are present in the air, in a substance, or on a surface

3 ______________ working or operating quickly and effectively in an organized way

4 ______________ to successfully control a feeling or problem that prevents you from achieving something

5 ______________ the work or activities done by a business or organization, or the process of doing this work

B 다음 밑줄 친 단어와 유사한 의미의 단어나 표현을 고르시오.

1 Sancho Panza is a faithful servant of Don Quixote.

① friendly ② cruel ③ loyal
④ silly ⑤ mental

2 The solar system consists of the Sun and eight planets moving around it.

① is made up of ② is made from ③ is made to
④ is made for ⑤ is made by

3 Some animals are not able to perceive color.

① suggest ② treat ③ recognize
④ expect ⑤ allow

C 다음 주어진 단어를 알맞게 배열하여 우리말과 같은 뜻이 되도록 영작하시오.

1 이것이 사람의 정신을 평온에 이르게 한다. (a / be / this / person's / allows / soul / to / at peace)

→ ______________________________

2 건물 어느 곳이든 7분이면 도달한다.
(in the building / it / only / point / takes / to / seven minutes / reach / any)

→ ______________________________

3 대부분의 사람들은 모든 무지개는 일곱 가지 색으로 되어 있다고 생각한다.
(to / are / seven / believe / colors / most people / that / every rainbow / there)

→ ______________________________

UNIT 04

1. **ADVENTURE**
   284일간의 세계 항해 일주
2. **CHALLENGE**
   뜨거운 사막에서 펼쳐지는 특별한 경주
3. **ENTERTAINMENT**
   뮤지컬, 레미제라블

01 ADVENTURE

Sailing solo around the world is a difficult journey. Many experienced sailors will never even attempt the task of sailing alone around the globe. However, on August 27, 2009, history was made. (A) At the age of 17, Michael Perham became the youngest person to sail solo around the world. (B) It took him 284 days to complete the journey. (C) Rough weather was a problem during his trip because violent storms could have overturned his boat. (D) He also had to have his yacht repaired several times. (E) However, he managed to overcome all the difficulties ⓐ that he faced. Shortly after reaching the shore, he was awarded a certificate from the Guinness World Records committee.

* Guinness World Records committee 기네스 세계기록위원회

영영풀이 다음 설명에 해당하는 단어를 윗글에서 찾아 넣으시오.

1 s__________ to travel on or across an area of water in a boat or ship

2 c__________ to finish doing or making something, especially when it has taken a long time

3 a__________ to officially give someone something such as a prize or money to reward them for something they have done

정답 및 해설 p. 10

1 What is the main topic of the passage? [주제 찾기]

① difficulties during a world tour
② good memories of a sailing journey
③ endless attempts to sail around the world
④ a difficult task: traveling around the world
⑤ the youngest person to sail around the world

2 글의 흐름으로 보아, 주어진 문장이 들어가기에 가장 적절한 곳은? [주어진 문장 넣기]

He encountered many dangers on his journey.

① (A) ② (B) ③ (C) ④ (D) ⑤ (E)

3 윗글의 밑줄 친 ⓐ that과 쓰임이 같은 것은? [어법]

① That's not my textbook.
② I have never met that boy before.
③ The problem is that we have no money.
④ I knew that he would win first prize in the contest.
⑤ It is one of the most exciting movies that I've ever seen.

VOCA 101

sail v. 항해하다
attempt v. ~을 시도하다
violent a. 폭력적인, 난폭한
certificate n. 증명서
solo ad. 혼자서
complete v. 끝내다
overturn v. 뒤집다
experienced a. 경험이 있는
rough a. 거친, 난폭한
repair v. ~을 수리하다

02 CHALLENGE

There are many different types of races for adventurous people. However, one of the most difficult competitions is the Sahara Race. The Sahara Race is a six-day footrace through the Sahara Desert. Competitors must travel over 150 miles through the hot desert sands. They also have to carry all of their own food, water, and equipment such as a sleeping bag, compass, knife, and first aid kit. For this reason, the packsack is usually very heavy. Most of all, they have to endure the intense heat of the desert. All of these hardships ________________. Despite these extreme conditions, competitors from around thirty different countries take part in this race each year, and it offers them an unforgettable experience.

영영풀이 다음 설명에 해당하는 단어를 윗글에서 찾아 넣으시오.

1 e____________ the tools, machines, etc. that you need to do a particular job or activity

2 e____________ to be in a difficult or painful situation for a long time without complaining

3 i____________ having a very strong effect or felt very strongly

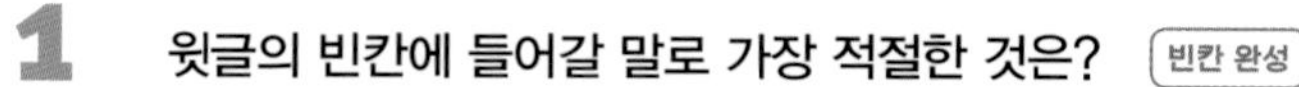

1 윗글의 빈칸에 들어갈 말로 가장 적절한 것은? [빈칸 완성]

① test the limits of competitors
② make competitors feel energetic
③ allow competitors to enjoy the race
④ take competitors to a beautiful oasis
⑤ give competitors a chance to learn a new culture

2 사하라 경주(Sahara Race)에 대한 내용과 일치하지 <u>않는</u> 것은? [내용 불일치]

① 매년 열린다.
② 장비와 식량은 각자 준비해야 한다.
③ 많은 참가자가 포기한다.
④ 많은 나라의 사람들이 참가한다.
⑤ 6일 동안 150마일을 이동해야 한다.

3 윗글의 내용을 요약하고자 한다. 빈칸 (A)와 (B)에 들어갈 말로 가장 적절한 것은? [요약문 완성하기]

> The Sahara race is one of the most difficult ___(A)___, but it will be a once-in-a-lifetime ___(B)___.

	(A)		(B)
①	races	…	failure
②	journeys	…	difficulty
③	tours	…	pleasure
④	competitions	…	experience
⑤	games	…	hardship

VOCA 101

adventurous a. 모험을 좋아하는
carry v. ~을 지니고 다니다
endure v. ~을 견디다
unforgettable a. 잊을 수 없는
competition n. 경쟁, 대회
equipment n. 장비, 용품
intense a. 극심한
through prep. 통과하여
first aid kit 구급상자
offer v. ~을 제공하다

03 ENTERTAINMENT

Les Miserables is one of the world's most famous musicals and is based on the book which has the same title . (A) However, the critics didn't like the musical when it was first released. The interesting thing is that at first, the book was not well received either. When the book was first published in 1862, it sold well, but newspapers and magazines did not think it was very good. (B) When the musical was first performed in 1985, it sold out early on, but critics were not happy with it.

(C) To me, *Les Miserables* is one of the most wonderful musicals. (D) The story of Jean Valjean and French society after the French Revolution was inspiring and the music and the acting were excellent. Although the tickets were quite expensive, the show was well worth it. (E) If you don't have enough money, however, don't spend your money seeing such an expensive musical. I would suggest seeing *Les Miserables* to anyone who has never seen a big production of a musical before. You won't be disappointed!

영영풀이 다음 설명에 해당하는 단어를 윗글에서 찾아 넣으시오.

1 c__________ someone whose job is to make judgments about the good and bad qualities of art, music, films, etc.

2 r__________ to make (a film, recording, or other product) available to the public

3 i__________ encouraging, or making you feel you want to do something

1 윗글의 종류로 가장 알맞은 것은? [글의 종류]

① a letter ② a personal review ③ an interview
④ an e-mail ⑤ a book review

2 윗글의 밑줄 친 (A) ~ (E) 중 글의 전체 흐름과 어울리지 <u>않는</u> 것은? [무관한 문장 찾기]

① (A) ② (B) ③ (C) ④ (D) ⑤ (E)

3 윗글의 내용으로 볼 때, 뮤지컬 〈레미제라블〉에 대한 글쓴이의 태도는? [심경 추론]

① disappointed ② critical ③ uninterested
④ satisfied ⑤ terrible

4 다음은 글쓴이가 전달하려는 메시지이다. 빈칸을 채우시오. [요약문 완성하기]

Les Miserables is one of the world's most famous musicals. The writer suggests that we should see the musical *Les Miserables* because of its excellent __________ and __________. Though the tickets are expensive, it is really worth seeing it.

VOCA 101

musical n. 뮤지컬
release v. 발매하다, 개봉하다
sell out 매진되다
worth a. ~할 가치가 있는
be based on ~을 기초로 하다
receive v. ~을 받아들이다, 인정하다; 받다
French Revolution 프랑스 대혁명
production n. 상연, 제작
critic n. 비평가, 평론가
perform v. 공연[상연]하다
inspiring a. 영감을 주는

정답 및 해설 p. 13

A 다음 설명에 해당하는 단어를 <보기>에서 골라 쓰시오.

〈보기〉 complete inspiring critic equipment intense

1 ______________ the tools, machines, etc. that you need to do a particular job or activity

2 ______________ having a very strong effect or felt very strongly

3 ______________ encouraging, or making you feel you want to do something

4 ______________ to finish doing or making something, especially when it has taken a long time

5 ______________ someone whose job is to make judgments about the good and bad qualities of art, music, films, etc.

B 다음 밑줄 친 단어와 유사한 의미의 단어와 표현을 고르시오.

1 Dinner will be served shortly after six-thirty.

① soon ② seldom ③ hardly
④ easily ⑤ nearly

2 Rachel is strong enough to endure such a tough situation.

① put off ② put away ③ put back
④ put together ⑤ put up with

3 The software company's new role playing game will be released next month.

① held ② expressed ③ launched
④ printed ⑤ produced

C 다음 주어진 단어를 알맞게 배열하여 우리말과 같은 뜻이 되도록 영작하시오.

1 그는 여러 차례 자신의 요트를 수리해야만 했다.
(had to / yacht / he / his / several times / have / repaired)

→ ____

2 모험을 즐기는 사람들을 위한 다양한 종류의 경주가 있다.
(many / races / there are / adventurous people / for / different / types of)

→ ____

3 관람료는 상당히 비쌌지만 공연은 그만한 가치가 있었다.
(the show / the tickets / worth / it / was / were / well / quite / although / expensive)

→ ____

UNIT 05

1. **CULTURE & CUSTOMS**
   기모노를 한번 입어 볼까?
2. **MYSTERY**
   버뮤다 삼각지의 미스터리
3. **INTERESTING FACTS**
   신비한 동물의 왕국

01 CULTURE & CUSTOMS

The kimono is traditional Japanese clothing, and the word "kimono" literally means "a thing to wear." The kimono is a long T-shaped robe with an open front. It wraps around the body and is fastened around the waist with a cloth belt. Kimonos are often very colorful. Traditionally, the colors represent either the season or the social class which the wearer belonged to. The kimono has a long history. Traditional kimonos began to be worn as early as 794. They ⓐ wore by men and women of all ages and classes until Western clothes were introduced. These days Japanese people rarely wear them in everyday life. They ⓑ wore them only for special occasions ____________ weddings, funerals, and "Coming-of-Age Day."

* robe 길고 헐거운 겉옷

** Coming-of-Age Day 성년의 날

영영풀이 다음 설명에 해당하는 단어를 윗글에서 찾아 넣으시오.

1 l______________ according to the most basic or original meaning of a word or expression

2 r______________ to be a sign or mark that means something

3 f______________ a religious ceremony for burying or burning someone who has died

1 윗글의 내용과 일치하지 않는 것은? 내용 불일치

① '기모노'라는 말은 '입는 것'이라는 뜻이다.
② 기모노는 천 년 이상의 역사를 가지고 있다.
③ 일본 사람들은 기모노를 794년부터 입기 시작했다.
④ 지금도 일본 사람들은 일상생활에서 기모노를 즐겨 입는다.
⑤ 일본 사람들은 나이, 성별, 신분에 관계 없이 기모노를 입었다.

서술형

2 What two things do the colors of Kimonos represent? 세부 사항

____

서술형

3 윗글의 ⓐ, ⓑ의 wore를 어법에 맞게 고쳐 쓰시오. 어법

ⓐ ____________  ⓑ ____________

4 윗글의 빈칸에 들어갈 말로 가장 적절한 것은? 빈칸 완성

① contrary to
② unlike
③ such as
④ due to
⑤ instead of

VOCA 101

traditional a. 전통의, 전통적인
fasten v. 조이다
social a. 사회의, 사회에 관한
occasion n. 행사
literally ad. 문자 그대로
colorful a. 형형색색의, 다채로운
class n. (사회의) 계층, 종류
wrap v. ~을 싸다, 둘러 감싸다
represent v. ~을 상징하다
rarely ad. 드물게, 좀처럼 ~ 않는

02 MYSTERY

The mystery of the Bermuda triangle has been a topic of debate for many decades. (A) It is located in the Atlantic Ocean around Bermuda, Puerto Rico, and Florida. Over the years, hundreds of ships and planes have mysteriously disappeared in this area. (B) Some people believe that these disappearances happen because of supernatural forces, such as aliens. (C) Others believe that they are because the laws of physics don't apply in the Bermuda triangle. In fact, it is one of the only two places in the world where a compass points "true" north, not "magnetic" north . (D) However, there are also many ____________________ which explain the mysterious disappearances of vessels in the Bermuda triangle. (E) Fierce storms are frequent occurrences in this area. They can turn up suddenly and severely damage a ship or plane. Fast currents can also sweep away wreckage very quickly. This makes rescue missions very difficult and dangerous.

* the laws of physics 물리학 법칙

영영풀이 다음 설명에 해당하는 단어를 윗글에서 찾아 넣으시오.

1 d______________ discussion of a particular subject that often continues for a long time and in which people express different opinions

2 a______________ a creature from another world

3 m______________ an important job that someone has been given to do, especially when they are sent to another place

정답 및 해설 p. 14

1 윗글의 흐름으로 보아, (A) ~ (E) 중에서 주어진 문장이 들어가기에 가장 적절한 곳은? [주어진 문장 넣기]

> This could cause ships and planes to get lost if they don't properly adjust their course.

① (A) ② (B) ③ (C) ④ (D) ⑤ (E)

2 Which best fits in the blank? [빈칸 완성]

① folk tales
② human errors
③ notorious pirates
④ natural explanations
⑤ supernatural phenomena

서술형

3 윗글에서 밑줄 친 vessels와 같은 의미의 단어를 찾아 쓰시오. (1단어) [어휘]

____

서술형

4 버뮤다 삼각지가 논쟁의 소재가 되어 온 이유를 윗글에서 찾아 영어로 쓰시오. (14단어) [세부 사항]

____

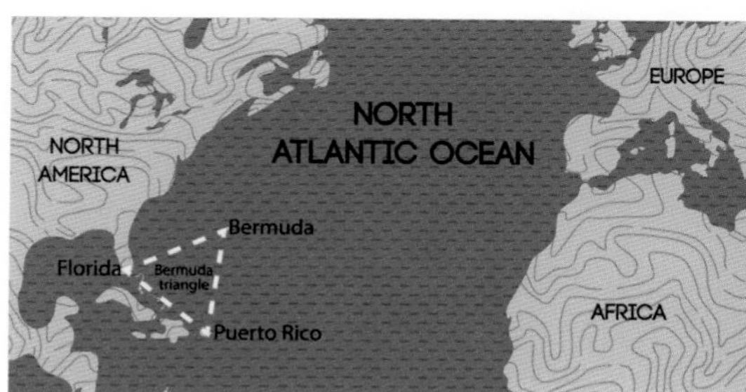

VOCA 101

supernatural a. 초자연적인
occurrence n. 사건, 발생
rescue n. 구조
apply v. 적용되다
current n. 조류, 해류
mission n. 임무
compass n. 나침반
wreckage n. 난파 잔해물; 난파

03 INTERESTING FACTS

Although many people believe that humans and animals ⓐ lack many of the same qualities and characteristics, like eating, sleeping and forming families, there are many ⓑ significant differences between us. There are many ⓒ facts about the animal kingdom that are interesting and surprising, and still others that are ⓓ shocking. ____________, did you know that a snail can sleep for three years? That all polar bears are left-handed? How about that an ostrich's eye is bigger than its brain? Here are some other interesting facts. A butterfly tastes with its feet; catfish have over 27,000 taste buds; cats have over one hundred vocal sounds while dogs only have about ten; crocodiles can't stick their tongue out; elephants are the only animals that can't jump; starfish don't have ⓔ brains.

영영풀이 다음 설명에 해당하는 단어를 윗글에서 찾아 넣으시오.

1 f____________ to make something by combining two or more parts

2 s____________ large enough to be noticeable or have noticeable effects

3 b____________ the organ inside your head that controls how you think, feel, and move

정답 및 해설 p. 15

1 다음 글의 밑줄 친 부분 중, 문맥상 낱말의 쓰임이 적절하지 않은 것은? 어휘

① ⓐ ② ⓑ ③ ⓒ ④ ⓓ ⑤ ⓔ

2 윗글의 빈칸에 들어갈 알맞은 말은? 빈칸 완성

① For example
② By the way
③ In addition
④ However
⑤ On the other hand

3 윗글의 내용으로 볼 때, 두뇌가 눈보다 더 작은 동물은? 세부 사항

① starfish
② polar bear
③ crocodile
④ elephant
⑤ ostrich

4 윗글을 읽고 다음 빈칸을 채워 요지를 완성하시오. 요약문 완성하기

Animals and humans have many qualities and ______________ in common, but they are also different in many ways.

VOCA 101

share v. 공유하다
significant a. 중요한, 의미 있는
ostrich n. 타조
crocodile n. 악어
quality n. 성질
kingdom n. 왕국
butterfly n. 나비
stick out 불쑥 내밀다
characteristic n. 특징, 특색
polar bear n. 북극곰
catfish n. 메기
starfish n. 불가사리

정답 및 해설 p. 15

A 다음 설명에 해당하는 단어를 <보기>에서 골라 쓰시오.

〈보기〉 literally debate mission represent significant

1 ______________ large enough to be noticeable or have noticeable effects

2 ______________ to be a sign or mark that means something

3 ______________ an important job that someone has been given to do, especially when they are sent to another place

4 ______________ discussion of a particular subject that often continues for a long time and in which people express different opinions

5 ______________ according to the most basic or original meaning of a word or expression

B 다음 밑줄 친 단어와 유사한 의미의 단어나 표현을 고르시오.

1 I use these dishes only for special occasions like birthdays or holidays.

① events ② friends ③ guests
④ offers ⑤ vacations

2 The ring I was looking for finally turned up in the bathroom.

① was looked ② was crashed ③ was found
④ was destroyed ⑤ was arrived

3 The volunteer group was formed in 2018 to help the homeless.

① typed ② founded ③ destroyed
④ restored ⑤ provided

C 다음 주어진 단어를 알맞게 배열하여 우리말과 같은 뜻이 되도록 영작하시오.

1 색상은 계절 혹은 그 옷을 입는 사람이 소속되었던 사회 계층을 나타낸다. (belonged to / or / which / the colors / the season / represent / the wearer / the social class / either)

→ ____

2 이것이 구조 임무를 몹시 어렵고 위험하게 만든다.
(rescue missions / difficult / this / and / dangerous / makes / very)

→ ____

3 코끼리는 껑충 뛰지 못하는 유일한 동물이다.
(elephants / that / the / can't / only / are / jump / animals)

→ ____

UNIT 06

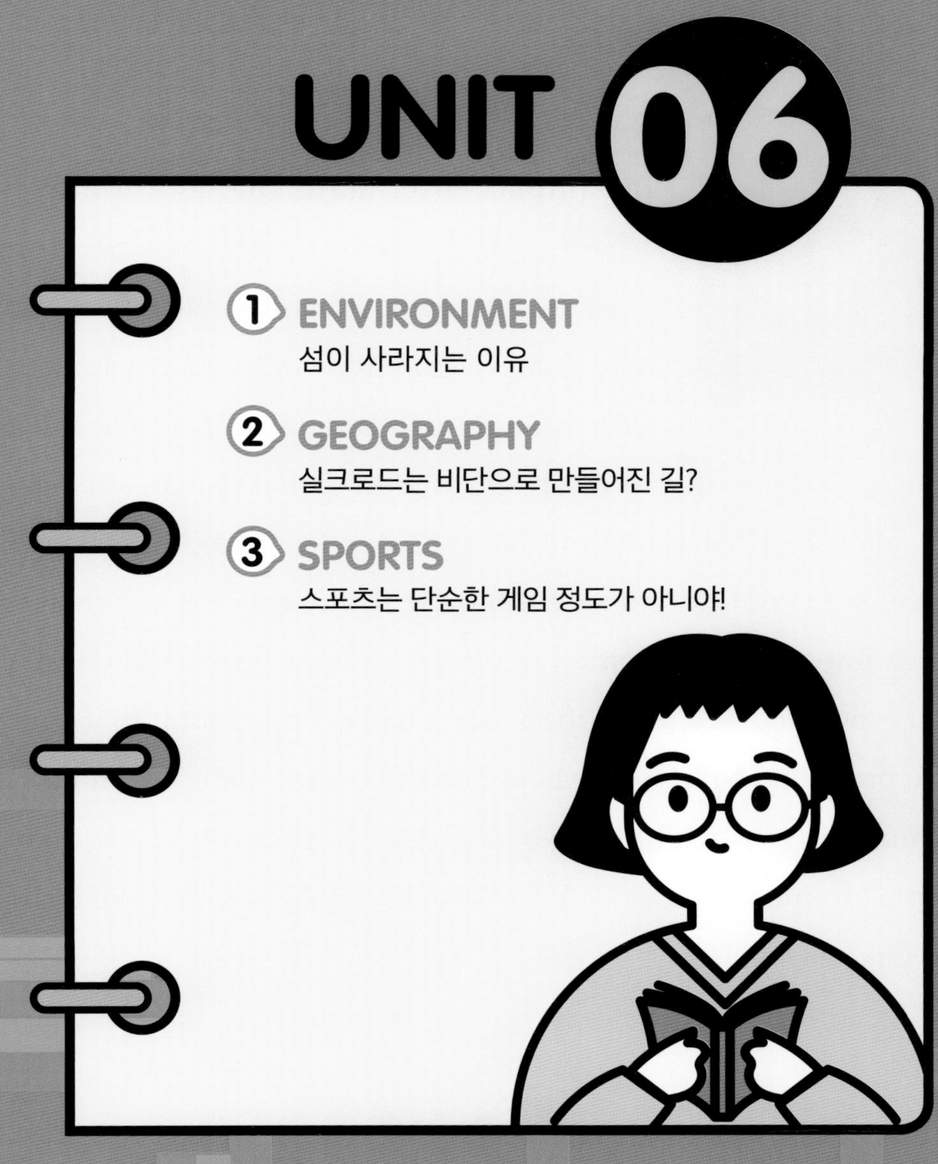

1 ENVIRONMENT
섬이 사라지는 이유

2 GEOGRAPHY
실크로드는 비단으로 만들어진 길?

3 SPORTS
스포츠는 단순한 게임 정도가 아니야!

01 ENVIRONMENT

Researchers are finally beginning to see the impact of climate change on our environment. ____________, rising sea levels are threatening the existence of small inhabited islands around the world. The small island nation of Kiribati is located in the Pacific Ocean near Australia. ⓐ It is expected to be the first country in the world to disappear due to global climate change. Government officials asked Australia and New Zealand to accept refugees from Kiribati. As the seas continue to swell, they will threaten the survival of many more island nations. Even some people of the low-lying islands in Vanuatu have been evacuated as a precaution. Researchers have found that a dozen islands in close proximity to India are being threatened as well. The human cost of global warming is (A) [frightening / frightened]. Some have estimated that 70,000 people around the world (B) [is / are] currently in danger of losing their homes to rising sea levels.

영영풀이 다음 설명에 해당하는 단어를 윗글에서 찾아 넣으시오.

1 t____________ to be likely to harm or destroy something

2 i____________ to live in a place

3 e____________ to send people away from a dangerous place to a safe place

1 윗글의 요지로 가장 적절한 것은? [요지 찾기]

① Animals living on Kiribati are endangered.
② Islands will disappear due to climate change.
③ Climate change is threatening refugees in Australia.
④ Australia will be the first country in the world to disappear.
⑤ The Australian government has started to research rising sea levels.

2 윗글의 빈칸에 들어갈 말로 가장 적절한 것은? [빈칸 완성]

① On the other hand ② As a result ③ For instance
④ However ⑤ Since

3 What does ⓐ It refer to? [지칭 추론]

____

4 (A)와 (B)의 각 괄호 안에서 어법에 맞는 표현으로 가장 적절한 것을 골라 쓰시오. [어법]

(A) ____________________ (B) ____________________

VOCA 101

impact n. 영향
inhabit v. 거주하다
survival n. 생존
proximity n. 근접, 접근
threaten v. ~을 위협하다, 협박하다
refugee n. 피난자, 망명자
evacuate v. 대피시키다
estimate v. 추산하다
existence n. 존재
swell v. 증가하다, 팽창하다
precaution n. 예방 조치

02 GEOGRAPHY

The Silk Road wasn't merely a road. It was an important trade route for several ancient civilizations. The route was over 7,000 miles (A) [length / long]. It connected the ancient civilizations of Rome and China. <u>각각의 문명은 다른 문명이 원하는 무언가를 가지고 있었다</u>. For example, the Romans had gold and jewels, and China had silk and spices. ______________, the journey along the Silk Road was very dangerous. Travelers (B) [faced / were faced] hot deserts, dangerous mountains, strong winds, poisonous snakes, and bandits. More than just goods (C) [were / was] traded along this route. The Silk Road also made it possible to exchange cultural ideas and knowledge between civilizations. This trade route was a significant factor in the development of the great civilizations of China, India, Egypt, Persia, Arabia, and Rome.

* bandit 산적, 노상강도

영영풀이 다음 설명에 해당하는 단어를 윗글에서 찾아 넣으시오.

1 t______________ the activity of buying, selling, or exchanging goods within a country or between countries

2 r______________ a way from one place to another

3 a______________ belonging to a time long ago in history, especially thousands of years ago

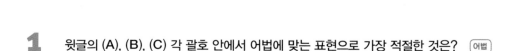

1 윗글의 (A), (B), (C) 각 괄호 안에서 어법에 맞는 표현으로 가장 적절한 것은? 어법

	(A)		(B)		(C)
①	long	…	faced	…	were
②	length	…	faced	…	were
③	length	…	faced	…	was
④	long	…	were faced	…	were
⑤	length	…	were faced	…	was

2 밑줄 친 우리말에 맞도록 주어진 단어를 알맞게 배열하시오. 문장 완성

(each / had / civilization / the other one / desired / that / something)

____

3 윗글의 빈칸에 들어갈 말로 가장 적절한 것은? 빈칸 완성

① Completely ② Soon ③ Suddenly
④ Finally ⑤ Unfortunately

4 윗글의 실크로드(Silk Road)에 관한 내용과 일치하지 <u>않는</u> 것은? 내용 불일치

① 실크로드는 교역에 이용되던 중요한 길이었다.
② 실크로드는 고대 문명을 발전하게 한 주요 요소였다.
③ 실크로드는 지금도 활발히 교역이 이루어지고 있다.
④ 실크로드는 로마와 중국의 고대 문명을 연결하는 역할을 했다.
⑤ 실크로드를 따라 이동하는 여행자들은 많은 어려움을 겪어야 했다.

VOCA 101

trade n. 거래 v. 거래[교역]하다
poisonous a. 독성의
exchange v. ~을 교환하다
route n. 길, 경로
goods n. 상품, 물품
development n. 발달, 성장
ancient a. 고대의
possible a. 가능한

03 SPORTS

(a) Do you think that sports are just fun and games? In a lot of countries they are more than that. (b) Sports can be a very serious event, more than simply a pastime. In Canada, ______________, ice hockey is very important for national identity. Many Canadians say that hockey is a great part of being "Canadian." (c) In the United States football is like a religion in many parts of the country. (d) Many people train, play, and watch the sport as if it is the most important part of life. (e) In some countries, sports can even lead to large fights. In 1970, El Salvador and Honduras actually fought a short war after a soccer match that was a World Cup qualifying game.

영영풀이 다음 설명에 해당하는 단어를 윗글에서 찾아 넣으시오.

1 p______________ something that you do because you think it is enjoyable or interesting

2 r______________ a set of beliefs about a god, and the ceremonies and customs that go with these beliefs.

3 m______________ an organized sports event between two teams or people

1 윗글의 밑줄 친 (a) ~ (e) 중 주제문으로 가장 알맞은 것은? [주제 찾기]

① (a) ② (b) ③ (c) ④ (d) ⑤ (e)

2 윗글의 빈칸에 들어갈 알맞은 말은? [빈칸 완성]

① however ② moreover ③ therefore
④ likewise ⑤ for example

서술형

3 윗글을 읽고 다음 빈칸에 알맞은 운동 경기를 쓰시오. [세부 사항]

_______________ is as important to Canadians as _______________ is to Americans.

서술형

4 엘살바도르(El Salvador)와 온두라스(Honduras)가 1970년에 월드컵 예선전 후에 어떤 일을 겪었는지 윗글에서 찾아 우리말로 쓰시오. [세부 사항]

____

VOCA 101

fun and games 재미를 위한 활동
national a. 국가의, 국가적인
lead to ~로 이끌다
serious a. 진지한
identity n. 정체성
qualifying a. 자격을 주는
pastime n. 오락
religion n. 종교

정답 및 해설 p. 18

A 다음 설명에 해당하는 단어를 <보기>에서 골라 쓰시오.

〈보기〉 pastime threaten evacuate ancient route

1 __________ to be likely to harm or destroy something

2 __________ a way from one place to another

3 __________ to send people away from a dangerous place to a safe place

4 __________ something that you do because you think it is enjoyable or interesting

5 __________ belonging to a time long ago in history, especially thousands of years ago

B 다음 밑줄 친 단어와 유사한 의미의 단어를 고르시오.

1 The soccer player merely smiled when he received a yellow card.

① hardly ② rarely ③ barely
④ totally ⑤ just

2 The plan wasn't as successful as expected.

① threatened ② continued ③ counted
④ offered ⑤ predicted

3 Thirty-two different countries competed in the 2018 World Cup.

① cities ② nations ③ towns
④ religions ⑤ provinces

C 다음 주어진 단어를 알맞게 배열하여 우리말과 같은 뜻이 되도록 영작하시오.

1 상품 이상의 것들이 이 길을 따라 교역되었다.
(traded / more than / route / were / this / just goods / along)

→ ______________________________

2 작은 섬나라 키리바시는 호주 근처의 태평양에 위치하고 있다. (the Pacific Ocean / the small island nation / Australia / Kiribati / of / near / is located in)

→ ______________________________

3 어떤 나라에서는 스포츠가 심지어 큰 싸움을 일으킬 수도 있다.
(sports / countries / even / large / in / lead to / fights / some / can)

→ ______________________________

UNIT 07

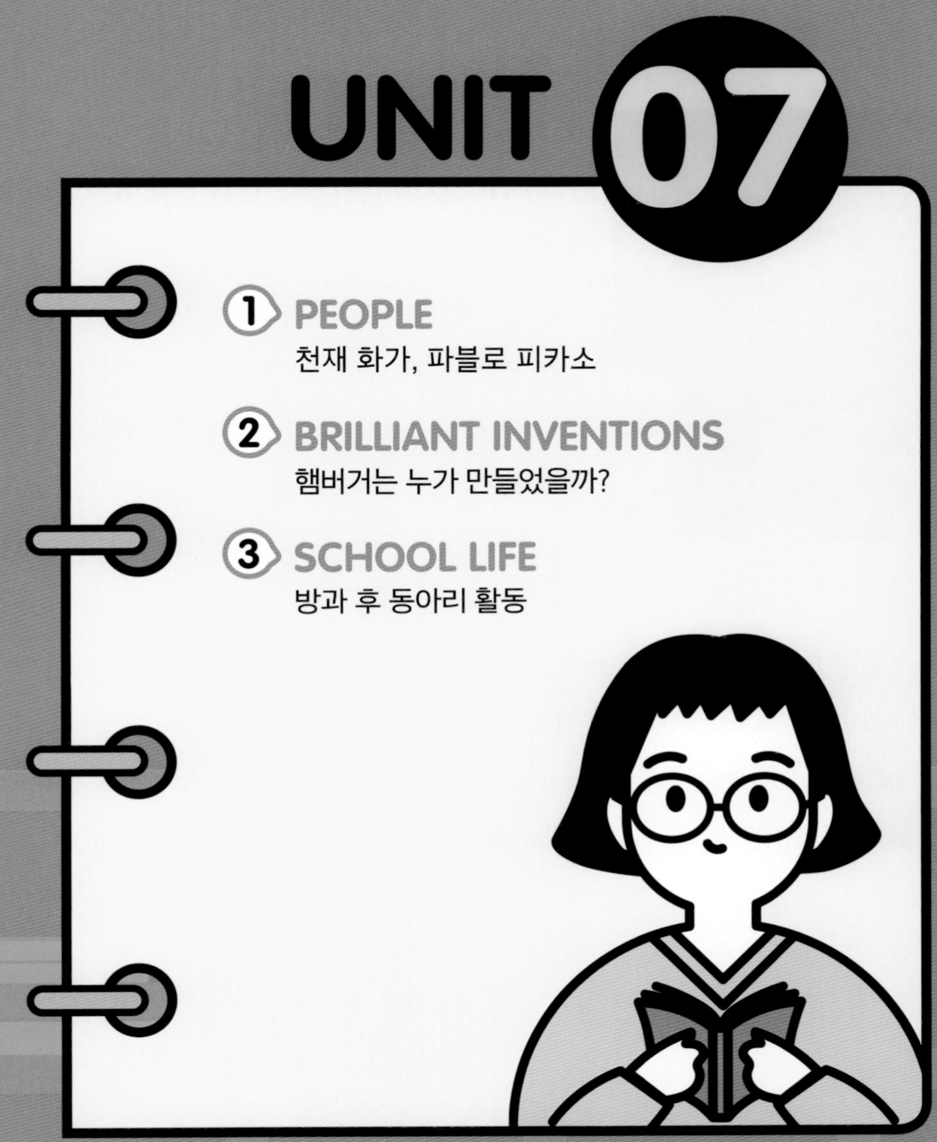

1. PEOPLE
천재 화가, 파블로 피카소

2. BRILLIANT INVENTIONS
햄버거는 누가 만들었을까?

3. SCHOOL LIFE
방과 후 동아리 활동

01 PEOPLE

Are you interested in art? If so, who is your favorite painter? Here is a painter whose paintings are loved by millions of people. Pablo Picasso, who was born in Spain in 1881, was a gifted artist. He enjoyed experimenting with different styles of art, and he created over 20,000 artworks including sculptures and illustrations throughout his life. He was also well known as the founder of cubism. Cubism is a style of art that shows how an object can be seen from many different angles at the same time. Due to his unique painting style, his paintings are highly valued among art collectors. In fact, several of Picasso's paintings are among the most expensive artworks in the world. On May 4, 2004, Picasso's painting *Garçon à la Pipe* sold for $104 million! You can view many of his paintings at the Picasso Museum in Barcelona, Spain.

* cubism 입체파
** Garçon à la Pipe 파이프를 든 소년

다음 설명에 해당하는 단어를 윗글에서 찾아 넣으시오.

1 g________ having a natural ability to do one or more things extremely well
2 i________ a picture in a book, article, etc., especially one that helps you to understand it
3 f________ a person who establishes an institution or settlement

1 윗글에서 설명한 입체파(cubism)의 예로 가장 적절한 것은? [세부 사항]

① 
② 
③ 
④ 
⑤ 

2 윗글의 피카소(Picasso)에 관한 내용과 일치하는 것은? [내용 일치]

① 그는 사물을 한 방향에서 바라보며, 사실적으로 나타내는 입체파 화가였다.
② 추상적인 스케치 때문에 그의 그림은 사람들에게 외면당했다.
③ 그의 그림 <파이프를 든 소년(*Garçon à la Pipe*)>은 매우 비싼 가격에 팔렸다.
④ 바르셀로나의 피카소 박물관에서 그의 작품을 찾아보기는 힘들다.
⑤ 그는 2004년 5월 4일 스페인에서 태어났다.

3 피카소(Picasso)의 작품이 수집가들에게 높이 평가되는 이유를 윗글에서 찾아 우리말로 쓰시오. [세부 사항]

____

VOCA 101

gifted a. 재능이 있는
sculpture n. 조각
founder n. 창시자
million n. 100만
experiment v. 실험[시험]하다
illustration n. 삽화
unique a. 유일한, 독특한
view v. ~을 보다, 바라보다
create v. ~을 창조[창작]하다
throughout prep. ~동안 내내
value v. 평가하다

02 BRILLIANT INVENTIONS

Have you ever wondered who made the first hamburger? One story suggests a young boy named Charlie Nagreen invented the hamburger. In 1885, he began to sell it at the Outagamie County Fair in Wisconsin. ______(A)______, he was selling meatballs at his food stand. However, business was very slow. People found the meatballs too difficult to carry around. They were just too messy. ______(B)______, he came up with a brilliant idea! He flattened the meatballs. Then, he placed them between two slices of bread. <u>그는 자신의 새로운 발명품을 햄버거라고 불렀다.</u> He became known as "Hamburger Charlie." A hamburger hall of fame was even built in Charlie's hometown of Seymour, Wisconsin. The town has an <u>annual</u> burger festival on the first Saturday of August.

*hall of fame 명예의 전당

영영풀이 다음 설명에 해당하는 단어를 윗글에서 찾아 넣으시오.

1 w______________ to think about something that you are not sure about and try to guess what is true, what will happen, etc.

2 b______________ excellent, marvelous

3 f______________ to make something flat

정답 및 해설 p. 19

1 Which best fits in blanks (A) and (B)? 빈칸 완성

	(A)		(B)
①	Naturally	…	Meanwhile
②	At first	…	However
③	Suddenly	…	In short
④	Surprisingly	…	In addition
⑤	Originally	…	All of a sudden

2 윗글의 찰리 나그린(Charlie Nagreen)에 관한 내용과 일치하지 <u>않는</u> 것은? 내용 불일치

① 햄버거를 발명하자, 그의 노점은 손님들로 성황을 이루었다.
② 그는 미트볼을 납작하게 만든 후 두 개의 빵 사이에 넣었다.
③ 그는 햄버거를 발명하기 전에 노점에서 미트볼을 팔았다.
④ 그는 1885년 한 박람회에서 햄버거를 팔기 시작했다.
⑤ 그의 고향에는 햄버거 명예의 전당이 세워졌다.

서술형

3 윗글의 밑줄 친 우리말을 주어진 단어를 이용하여 영작하시오. (7단어) 문장 완성
(call, invention)

____

4 윗글의 밑줄 친 <u>annual</u>의 의미로 가장 적절한 것은? 어휘

① open every day
② open on Sundays
③ happening once a year
④ being held every month
⑤ taking place once every other year

VOCA 101

- wonder v. ~을 궁금해 하다
- messy a. 지저분한, 엉망인
- flatten v. 납작하게 만들다
- suggest v. ~을 제안하다
- come up with ~을 떠올리다
- place v. ~을 놓다
- business n. 사업, 장사
- brilliant a. 멋진, 명석한

03 SCHOOL LIFE

These days, schools offer more extracurricular activities than ever before. (A) In the past, clubs were limited to basic hobbies like playing chess or collecting stamps. (B) Today, there are a wide range of activities that students can participate in.

(C) For the orienteering club, we go on day trips every other weekend and weekend trips twice a semester. The club is really fun because we learn a lot of useful outdoor camping skills, like how to set up a tent, how to climb a mountain properly, how to fish and find food in the wilderness, and how to apply first aid if someone is hurt. (D) For the environmental club, we focus on researching environmental subjects such as acid rain, the ozone layer and overpopulation, and then write some plans to offer solutions to complicated problems as a group. (E)

* orienteering 오리엔티어링(지도와 나침반만으로 목적지를 찾아가는 경기)

영영풀이 다음 설명에 해당하는 단어를 윗글에서 찾아 넣으시오.

1 w__________ a large area of land that has never been developed or farmed

2 s__________ a way of solving a problem or dealing with a difficult situation

3 c__________ difficult to understand or deal with, because many parts or details are involved

1 윗글의 빈칸 (A) ~ (E) 중 다음 문장이 들어갈 알맞은 곳은? 주어진 문장 넣기

Personally, I participate in two clubs: the orienteering club and the environmental club.

① (A) ② (B) ③ (C) ④ (D) ⑤ (E)

2 윗글의 내용으로 볼 때, 오리엔티어링 동아리에서 배우는 기술이 아닌 것은? 내용 불일치

① how to set up a tent
② how to climb a mountain properly
③ how to ride horses and feed wild animals
④ how to fish and find food in the wilderness
⑤ how to apply first aid when someone gets hurt

3 윗글의 내용으로 볼 때, 환경 동아리의 활동으로 알맞은 것은? 세부 사항

① holding rallies and making plans for solutions
② doing research and writing some plans to fight problems
③ doing research and then going out and applying it
④ discussing overpopulation with friends
⑤ learning how to solve personal problems

4 윗글을 읽고 다음 빈칸을 채워 요지를 완성하시오. 요약문 완성하기

These days, schools offer different ________________ activities. I participate in the orienteering club and the environmental club. For the first club, I learn a lot of useful ________________ camping skills, while I focus on serious ________________ subjects for the other one.

VOCA 101

extracurricular a. 과외의
outdoor a. 야외의
acid rain n. 산성비
solution n. 해결책
participate in ~에 참여하다
wilderness n. 사람이 살지 않는 곳
ozone layer n. 오존층
complicated a. 복잡한
semester n. 학기
focus on ~에 초점을 맞추다
overpopulation n. 인구 과잉

정답 및 해설 p. 20

A 다음 설명에 해당하는 단어를 <보기>에서 골라 쓰시오.

〈보기〉 founder flatten wonder complicated solution

1 ______________ to make something flat

2 ______________ difficult to understand or deal with because many parts or details are involved

3 ______________ to think about something that you are not sure about and try to guess what is true, what will happen, etc.

4 ______________ a way of solving a problem or dealing with a difficult situation

5 ______________ a person who establishes an institution or settlement

B 다음 밑줄 친 단어와 유사한 의미의 단어나 표현을 고르시오.

1 He is a gifted songwriter, and he has written over 1,000 songs.

① usual ② regular ③ talented
④ poor ⑤ great

2 You have to come up with a great idea to improve our business.

① realize ② deal ③ share
④ ignore ⑤ think of

3 Some of the cars in the parking lot are not parked properly.

① correctly ② completely ③ tightly
④ mainly ⑤ illegally

C 다음 주어진 단어를 알맞게 배열하여 우리말과 같은 뜻이 되도록 영작하시오.

1 여기 수많은 사람의 사랑을 받는 그림의 화가가 있다.
(whose / millions of / here / paintings / a painter / people / is / are loved by)

→ ______________________________

2 햄버거를 처음 만든 사람이 누구인지 궁금해한 적이 있는가?
(ever / the first / made / you / wondered / hamburger / have / who)

→ ______________________________

3 학생들이 참여할 수 있는 다양한 종류의 활동이 있다.
(that / can / there are / participate in / a wide range of / students / activities)

→ ______________________________

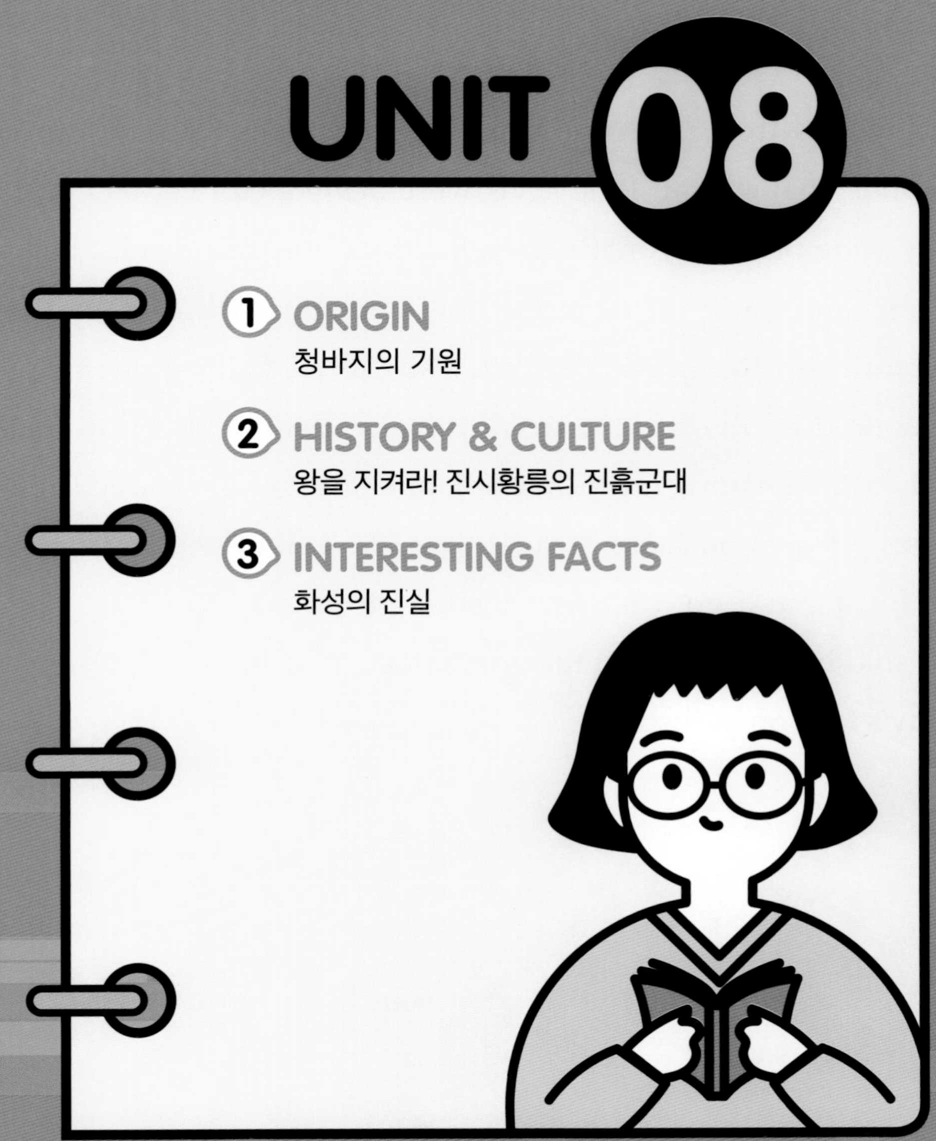
UNIT 08
1 ORIGIN
청바지의 기원
2 HISTORY & CULTURE
왕을 지켜라! 진시황릉의 진흙군대
3 INTERESTING FACTS
화성의 진실

01 ORIGIN

Did you know the origin of blue jeans goes back to fourteenth century Europe? That's right! Blue jeans were developed over 600 years ago in Italy. They were originally made from heavy cotton and wool. They have changed significantly over the centuries. By the eighteenth century they were made from one hundred percent cotton. Jeans, as we know them today, were heavily influenced by the Levi Strauss company. Levi Strauss was a cloth merchant in the nineteenth century in the United States. He moved to San Francisco to run his own business. At that time, the Gold Rush had reached its peak in California, and gold miners needed stronger ____________. He designed and sold his blue jeans to the gold miners. His blue jean designs still influence today's fashion industry.

* Gold Rush 골드러시(새로 발견된 금광으로 사람들이 몰려드는 것)

영영풀이 다음 설명에 해당하는 단어를 윗글에서 찾아 넣으시오.

1 i____________ businesses that produce a particular type of thing or provide a particular service

2 m____________ someone whose job is to buy and sell things or a small company that does this

3 i____________ to affect the way someone or something develops, behaves, thinks, etc. without directly forcing or ordering them

1 What is the best title of the passage? 제목 찾기

① The History of Blue Jeans
② How to Make Blue Jeans
③ The First Producer of Blue Jeans
④ A Leading Fashion Company, Levi's
⑤ The Popularity of Blue Jeans among Gold Miners

2 윗글의 빈칸에 들어갈 말로 가장 적절한 것은? 빈칸 완성

① working shoes ② working clothes ③ tents
④ gold miners ⑤ working tools

서술형

3 다음 설명에 해당하는 단어를 윗글에서 찾아 영어로 쓰시오. (1단어) 어휘

the time when something is at its best, greatest, or highest level

____

4 윗글의 내용과 일치하지 않는 것은? 내용 불일치

① 초기 청바지는 면과 모로 만들어졌다.
② 리바이 스트라우스는 골드러시를 그의 사업에 이용했다.
③ 리바이 스트라우스의 원래 직업은 재단사였다.
④ 리바이 스트라우스의 청바지는 광부들의 작업복이었다.
⑤ 리바이 스트라우스의 청바지 디자인은 지금도 패션 산업에 영향을 미치고 있다.

VOCA 101

century n. 100년, 세기
significantly ad. 상당히
merchant n. 상인
industry n. 산업
develop v. ~을 발달시키다
heavily ad. 매우, 대단히
reach v. ~에 닿다, 도착하다
originally ad. 원래는, 처음은
influence v. 영향을 미치다
peak n. 절정, 최고점

02 HISTORY & CULTURE

What do you think it would be like to discover an ancient army? Well, that's what happened to a group of local farmers in 1974. They accidentally discovered Emperor Qin's Terracotta Army in the Shaanxi Province of China. (A) It turned out to be one of the greatest archaeological finds in history. (B) This ancient army of clay soldiers dates back to 210 BC. (C) Emperor Qin, the first Emperor of China, ordered his people to construct this army at the age of thirteen. (D) He asked them to make every soldier look different. (E) He also asked scholars to find the secret of everlasting life. According to ancient historians, the army was created to help the emperor rule his kingdom in the afterlife. It took 700,000 workers to construct the statues. To date, over 8,500 different soldiers, chariots, and horses have been found by archaeologists.

* archaeological 고고학상의
* * Emperor Qin's Terracotta Army 진시황의 병마용

영영풀이 다음 설명에 해당하는 단어를 윗글에서 찾아 넣으시오.

1 d__________ to find someone or something, either by accident or because you were looking for them

2 o__________ to tell someone that they must do something, especially using your official power or authority

3 s__________ an intelligent and well-educated person

정답 및 해설 p. 21

1 What is the best title of the passage? [제목 찾기]

① The Desire of Emperor Qin: Power
② The First United China: the Qin Dynasty
③ A Great Find: Emperor Qin's Terracotta Army
④ The Founder of the Qin Dynasty: Emperor Qin
⑤ A Chinese Tourist Attraction: Emperor Qin's Tomb

2 윗글에서 전체 흐름과 관계 없는 문장은? [무관한 문장 찾기]

① (A) ② (B) ③ (C) ④ (D) ⑤ (E)

3 윗글의 내용으로 알 수 없는 것은? [세부 사항]

① Why was Emperor Qin's Terracotta Army built?
② Where is Emperor Qin's Terracotta Army located?
③ By whom was Emperor Qin's Terracotta Army found?
④ When was Emperor Qin's Terracotta Army discovered?
⑤ How long did it take to complete Emperor Qin's Terracotta Army?

서술형

4 윗글의 밑줄 친 부분을 다음 주어진 말로 시작하는 문장으로 바꿔 쓰시오. (9단어) [문장 완성]

Archaeologists ______________________________.

VOCA 101

discover v. ~을 발견하다
accidentally ad. 우연히
find n. 발견(물) v. ~을 발견하다
chariot n. 전차
army n. 군대, 병력
emperor n. 황제
everlasting a. 영원한
local a. 지방의, 지역의
turn out ~으로 밝혀지다
rule v. ~을 통치하다, 지배하다

INTERESTING FACTS

When I was a little kid, I was told that the nickname of Mars was "The Red Planet." (A) I didn't know the reason why Mars was "red." (B) It has been a kind of mystery to me until quite recently. My science teacher, Ms. Meretsky, explained to us that the planet Mars is red not because of the scattered light that comes from the sun. (C) Mars has a much thinner atmosphere than our own planet. That means scattered light is not as important in producing color as on Earth. (D) It appears red from Earth because of the red rusted iron dust particles in its atmosphere. (E) Although I listened to her, I didn't think she was telling the truth. Ms. Meretsky added that the soil of Mars is red as well.

영영풀이 다음 설명에 해당하는 단어를 윗글에서 찾아 넣으시오.

1 m__________ an event, situation, etc. that people do not understand or cannot explain because they do not know enough about it

2 a__________ the mixture of gases that surrounds a planet

3 s__________ spread over a wide area or over a long period of time

1 윗글의 밑줄 친 (A) ~ (E) 중 글의 흐름상 어울리지 않는 것은? 무관한 문장 찾기

① (A) ② (B) ③ (C) ④ (D) ⑤ (E)

2 윗글의 내용과 일치하지 않는 것은? 내용 불일치

① The nickname of Mars is "The Red Planet."
② Ms. Meretsky explained why the planet Mars is red.
③ Because of the scattered light from the sun, Mars appears red.
④ The writer didn't know why the planet Mars is red until recently.
⑤ Mars appears red because of the red rusted iron dust particles in its atmosphere.

3 윗글의 내용으로 볼 때, 다음 빈칸 (a), (b)에 들어갈 알맞은 말을 고르시오. 내용 일치

Because the planet Mars has a much thinner ____(a)____ than Earth, ____(b)____ is not as important in producing color.

	(a)		(b)
①	atmosphere	...	scattered light
②	light	...	producing colors
③	red iron dust	...	scattered light
④	atmosphere	...	producing colors
⑤	red iron dust	...	atmosphere

서술형

4 다음은 화성에 관한 내용이다. 빈칸을 채우시오. 요약문 완성하기

Mars is called "________________" because of red rusted iron dust particles in its atmosphere, not because of sunlight. Mars has a much thinner atmosphere than Earth, so scattered light has a much less important role in producing color.

VOCA 101

nickname n. 별명
atmosphere n. 대기
dust n. 먼지
quite ad. 꽤
rusted a. 녹슨
particle n. 입자, 티끌
scattered a. 흩뿌려진
iron n. 철
add v. 덧붙이다, 첨가하다

정답 및 해설 p. 23

A 다음 설명에 해당하는 단어를 <보기>에서 골라 쓰시오.

〈보기〉 merchant order discover influence atmosphere

1 ______________ the mixture of gases that surrounds a planet

2 ______________ to tell someone that they must do something, especially using your official power or authority

3 ______________ to affect the way someone or something develops, behaves, thinks, etc. without directly forcing or ordering them

4 ______________ to find someone or something, either by accident or because you were looking for them

5 ______________ someone whose job is to buy and sell things or a small company that does this

B 다음 밑줄 친 단어와 유사한 의미의 단어를 고르시오.

1 His works were <u>heavily</u> influenced by the Second World War.

① hard ② hardly ③ roughly
④ greatly ⑤ gently

2 A new bridge between the two cities will be <u>constructed</u> by 2022.

① argued ② changed ③ destroyed
④ extended ⑤ built

3 Tommy <u>appeared</u> quite upset about his test results.

① found ② performed ③ looked
④ released ⑤ showed

C 다음 주어진 단어를 알맞게 배열하여 우리말과 같은 뜻이 되도록 영작하시오.

1 그는 자신만의 청바지를 디자인하여 금을 캐는 광부들에게 팔았다.
(the gold miners / and / sold / his blue jeans / he / to / designed)

→ ____

2 여러분은 고대의 군대를 발견하면 어떨 것 같은가?
(an ancient army / what / would be / it / discover / do you think / like to)

→ ____

3 나는 화성이 빨간 이유를 몰랐다. (why / red / know / I / was / didn't / Mars / the reason)

→ ____

UNIT 09
1 ARCHITECTURE
위대한 사랑, 타지마할
2 ADVENTURE
에베레스트, 정복당하다
3 MYSTERY
크롭 서클, 정말 외계인의 메시지일까?

01 ARCHITECTURE

Did you know that the Taj Mahal was built ⓐ because a great love affair?

(A)

At the age of fourteen, Prince Khurrum fell in love with a girl. They finally ⓑ married and had a happy marriage. Unfortunately, his beloved wife died three years later after the prince became the Emperor of India in 1628.

(B)

For this reason, more than twenty years and 22,000 workers ⓒ were needed to complete the monument. To this day, the Taj Mahal remains one of the seven ⓓ wonders of the world, and it has become a symbol of India.

(C)

In his sadness, the Emperor decided to build a beautiful monument in memory of her. The monument was named the Taj Mahal, and it means "Crown Palace." The Taj Mahal was built entirely out of white marble. The marble had to ⓔ be brought in from all over Asia.

영영풀이 다음 설명에 해당하는 단어를 윗글에서 찾아 넣으시오.

1 b__________ loved very much by someone

2 r__________ to continue to be in the same state or condition

3 s__________ a picture or shape that has a particular meaning or represents a particular organization or idea

1 윗글 (A), (B), (C)의 순서로 가장 적절한 것은? 글의 순서 정하기

① (A) - (B) - (C)
② (A) - (C) - (B)
③ (B) - (A) - (C)
④ (C) - (A) - (B)
⑤ (C) - (B) - (A)

2 윗글의 밑줄 친 ⓐ ~ ⓔ 중 어법상 틀린 것은? 어법

① ⓐ ② ⓑ ③ ⓒ ④ ⓓ ⑤ ⓔ

3 윗글의 타지마할(Taj Mahal)에 관한 내용과 일치하지 않는 것은? 내용 불일치

① The Taj Mahal was made of white marble.
② The construction of the Taj Mahal was finished in 1640.
③ The Taj Mahal is regarded as an example of great architecture.
④ It took more than twenty thousand people to build the Taj Mahal.
⑤ The Taj Mahal was built by the Emperor of India in memory of his wife.

4 다음 설명에 해당하는 단어를 윗글에서 찾아 영어로 쓰시오. (1단어) 어휘

a large structure such as a statue or building that is built to remind people of an important event or famous person

____

VOCA 101

love affair 연애사
remain v. 남다, 잔존하다
crown n. 왕관
beloved a. 사랑 받는
wonder n. 놀랄 만한 것, 불가사의
marble n. 대리석
monument n. 기념비, 기념물
symbol n. 상징

02 ADVENTURE

On May 29, 1953, a historic achievement was finally made. Edmund Percival Hillary and the Nepalese Sherpa Tensing Norgay set foot on the world's highest point, Mount Everest. They were the first two people (A) [to reach / to reaching] the summit of Mount Everest. The success of this mission was due to careful planning, teamwork, and good weather. All of the team members had to carry a twenty-six pound cylinder of oxygen with them, and it took them two and a half hours to climb the final 400 feet. As soon as they reached the summit, they hugged each other with joy and relief. ______________, they only stayed there (B) [during / for] fifteen minutes because they were short on oxygen. They took several pictures, and as a Buddhist, Tensing buried some sweets in the snow as an offering to the gods. At last, they returned home as international heroes.

* Sherpa 셰르파(등반가들을 위한 안내나 검문반 등의 일을 하는 히말라야 부족)

영영풀이 다음 설명에 해당하는 단어를 윗글에서 찾아 넣으시오.

1 a______________ something important that you succeed in doing by your own efforts

2 r______________ a feeling of comfort when something frightening, worrying, or painful has ended or has not happened

3 s______________ the top of a mountain

정답 및 해설 p. 24

1 윗글의 빈칸에 들어갈 말로 가장 적절한 것은? 빈칸 완성

① In addition
② In short
③ Therefore
④ As a result
⑤ However

2 윗글의 (A), (B) 각 괄호 안에서 어법에 맞는 표현으로 가장 적절한 것을 쓰시오. 어법

(A) ______________________ (B) ______________________

3 힐러리(Hillary)와 노르게이(Norgay)에 대해 일치하지 않는 것은? 내용 불일치

① 에베레스트 정상에서 몇 장의 사진을 찍었다.
② 에베레스트 등정 후 국제적인 영웅이 되었다.
③ 1953년 5월 29일 에베레스트 정상에 도달했다.
④ 이전에도 에베레스트 정상을 등정하려고 했었다.
⑤ 철저한 계획, 팀워크, 좋은 날씨 덕에 에베레스트 정상에 오를 수 있었다.

4 Why did Hillary and Norgay stay on top only for such a short period time? 세부 사항

____

VOCA 101

historic a. 역사적인	set foot on ~에 발을 들여놓다	summit n. 정상, 꼭대기
success n. 성공	cylinder n. 원통	climb v. ~에 오르다, 올라가다
relief n. 안도, 안심	short on ~가 부족한	bury v. ~을 묻다
offering n. 공물	international a. 국제적인	

03 MYSTERY

A peculiar thing began ⓐ to happen on farms during the late 1970s in England. Strange circular patterns were found in farmers' fields. The origin of these circles ⓑ were a complete mystery to investigators, and many people began to believe that aliens were responsible for them. ⓒ One theory suggested that the circles were created by alien ships when they landed. ⓓ Another theory suggested that the circles were actually messages from aliens. Many people have even claimed to witness the formation of those circles by alien spacecraft. However, there is very little evidence to support those statements. In fact, two men even admitted their role in the formation of the original crop circles. Their names are Doug Bower and Dave Chorley. They claimed ⓔ to have created the circles as a prank. They used planks, ropes, and wires to create patterns in farmer's fields. ______________, despite this admission, many still believe in the theory of extraterrestrial involvement in crop circles.

* plank 널빤지

영영풀이 다음 설명에 해당하는 단어를 윗글에서 찾아 넣으시오.

1 e______________ facts or signs that show clearly that something exists or is true

2 c______________ to state that something is true, even though it has not been proved

3 w______________ to see something happen, especially a crime or accident

1 윗글의 ⓐ ~ ⓔ 중, 어법상 틀린 것은? [어법]

① ⓐ ② ⓑ ③ ⓒ ④ ⓓ ⑤ ⓔ

2 윗글의 빈칸에 들어갈 말로 가장 적절한 것은? [빈칸 완성]

① Therefore ② However ③ In addition ④ For example ⑤ Since

3 윗글의 내용과 일치하는 것은? [내용 일치]

① The crop circles appeared in Europe for the first time.
② Investigators found out the origin of the crop circles easily.
③ Many people actually saw an alien spacecraft.
④ Doug Bower and Dave Chorley were suspected of creating the crop circles.
⑤ People don't believe in the theory of aliens in connection with the crop circles.

서술형

4 According to Doug Bower and Dave Corley, what did they use to make the crop circle? [세부 사항]

____

VOCA 101

peculiar a. 특이한, 별난
claim v. ~을 주장하다
evidence n. 증거
prank n. 장난
investigator n. 조사자, 연구자
witness v. ~을 목격하다
statement n. 주장, 진술
extraterrestrial a. 지구 밖의
responsible a. 원인을 제공한
spacecraft n. 우주선
formation n. 형성
involvement n. 연관, 말려듦

정답 및 해설 p. 26

A 다음 설명에 해당하는 단어를 <보기>에서 골라 쓰시오.

〈보기〉 evidence witness achievement symbol relief

1 ______________ to see something happen, especially a crime or accident

2 ______________ a feeling of comfort when something frightening, worrying, or painful has ended or has not happened

3 ______________ a picture or shape that has a particular meaning or represents a particular organization or idea

4 ______________ facts or signs that show clearly that something exists or is true

5 ______________ something important that you succeed in doing by your own efforts

B 다음 밑줄 친 단어와 유사한 의미의 단어를 고르시오.

1 Since I didn't know what to say, I remained silent.

① hesitated ② explained ③ stayed
④ expected ⑤ managed

2 From the summit, we can view the entire city.

① middle ② bottom ③ top
④ back ⑤ front

3 This is the most peculiar story I've ever heard.

① strange ② familiar ③ boring
④ famous ⑤ funny

C 다음 주어진 단어를 알맞게 배열하여 우리말과 같은 뜻이 되도록 영작하시오.

1 대리석은 아시아 전역에서 공수되어야 했다.
(all over / the marble / from / be brought in / Asia / had to)

→ ______________________________

2 그들이 마지막 400피트를 오르는 데 2시간 반이 걸렸다.
(the final 400 feet / it / two and a half / took / them / climb / hours / to)

→ ______________________________

3 그들은 장난으로 그 서클을 만들었다고 주장했다.
(claimed / they / have created / as / to / the circles / a prank)

→ ______________________________

UNIT 10

1 WINTER EVENTS
알래스카의 설원을 달리다!

2 CULTURE & CUSTOMS
추수감사절에 왜 칠면조를 먹을까?

3 ENVIRONMENT
나무야 나무야, 누워서 자라!

01 WINTER EVENTS

The Iditarod Trail Sled Dog Race is a big challenge for competitors and man's best friend, dogs. The race begins on the first Saturday in March every ⓐ year in Alaska. The sled driver, called the musher, ⓑ guides a team of twelve to sixteen dogs across 1,770 kilometers in ten to seventeen days. Each team frequently races through blizzards, below-zero temperatures, and strong winds ⓒ to complete the race. The temperature can reach as ⓓ lower as –38 degrees Celsius, and the trail leads the racers through frozen tundra, dense forests, and frozen rivers. This race began in 1973 ⓔ as an event to test the best mushers and their dogs, and it became the world's most famous sled dog race. More than sixty teams compete each year. The winner is awarded a pickup truck as well as ten thousands of dollars in cash.

* blizzard 눈보라, 눈폭풍

** tundra 동토지대, 툰드라(시베리아의 북부, 캐나다 북부 등 한대기후에 속하는 지역)

영영풀이 다음 설명에 해당하는 단어를 윗글에서 찾아 넣으시오.

1 f__________ very often or many times

2 d__________ made of or containing a lot of things or people that are very close together

3 c__________ something that tests strength, skill, or ability, especially in a way that is interesting

정답 및 해설 p. 27

1 What is the best title of the passage? 제목 찾기

① An Exciting Race with Dogs
② Friendship between Men and Dogs
③ Exploring the Wilderness of Alaska
④ How to Survive in Cold Temperatures
⑤ Winning the Toughest Competition

2 윗글의 ⓐ ~ ⓔ 중 어법상 틀린 것은? 어법

① ⓐ ② ⓑ ③ ⓒ ④ ⓓ ⑤ ⓔ

3 윗글을 읽고 아이디타로드 개썰매 경주(The Iditarod Trail Sled Dog Race)에 관해 알 수 없는 것은? 세부 사항

① When did the race start?
② What does the winner of the race receive?
③ How long does the musher drive a team of dogs?
④ Where does the race take place?
⑤ Why is the race so famous?

4 윗글의 밑줄 친 문장과 같은 뜻이 되도록 빈칸에 알맞은 말을 쓰시오. 문장 완성

The winner is awarded not only ______________________________.

VOCA 101

sled n. 썰매
guide v. ~을 인도하다
dense a. 밀집한, 촘촘한
award v. 수여하다
challenge n. 도전
below-zero a. 영하의
frozen a. 얼어붙은, 언
cash n. 현금
competitor n. 경쟁자
lead v. ~을 안내하다, 이끌다
compete v. 경쟁하다

02 CULTURE & CUSTOMS

Do you know how eating turkey became a Thanksgiving Day tradition?

(A)

However, the goose was soon replaced by the wild turkey (a) since it was abundant in America. Turkey has been eaten on Thanksgiving Day (b) since the Pilgrims arrived in America.

(B)

In fact, there are several different stories. According to one story, it goes back to 16th century England. While Queen Elizabeth I was celebrating a harvest festival with a roast goose, she received ⓐ the news that the Spanish armada had been sunk on its way to attack England.

(C)

With the joy of the unexpected news, she ordered another roast goose. In this way, the roast goose became the favorite food at harvest festivals in England. When the Pilgrims left England, they brought ⓑ this tradition with them.

* Pilgrim 필그림(미국으로 건너간 영국인), 청교도

** armada 함대

영영풀이 다음 설명에 해당하는 단어를 윗글에서 찾아 넣으시오.

1 r________ to put something or someone in the place of something or someone else

2 a________ more than enough

3 c________ to show that an event or occasion is important by doing something special or enjoyable

정답 및 해설 p. 27

1 윗글 (A), (B), (C)의 순서로 가장 적절한 것은? 글의 순서 정하기

① (A) - (C) - (B)
② (B) - (A) - (C)
③ (B) - (C) - (A)
④ (C) - (A) - (B)
⑤ (C) - (B) - (A)

2 since의 뜻에 유의하여 윗글의 밑줄 친 (a), (b)를 해석하시오. 의미 파악

(a) ______________________ (b) ______________________

3 윗글의 밑줄 친 ⓐ the news에 해당하는 것을 우리말로 쓰시오.

____

4 What does ⓑ this tradition refer to? 지칭 추론

① to spread good news
② to order another roast goose
③ to catch a wild turkey at a festival
④ to eat roast goose at harvest festivals
⑤ to have a favorite bird to celebrate a harvest

VOCA 101

tradition n. 전통
celebrate v. ~을 축하하다
sink v. 가라앉다, 침몰하다
favorite a. 가장 좋아하는
replace v. ~을 대신하다
harvest n. 수확, 추수
attack v. ~을 공격하다
abundant a. 풍부한
festival n. 축제
unexpected a. 예상 밖의

03 ENVIRONMENT

__________________ (A) __________________

It is home to countless species of plants and animals. It provides oxygen for the planet and its inhabitants. Rainforests also protect the land from the sun's rays. Finally, the trees in the forest play a crucial role in absorbing greenhouse gases. Yet, the world's rainforests are being cut down at an alarming rate. There are several reasons for the current rate of deforestation. __________ (B) __________ is one important factor. Farmers cut down forests to provide more room for planting crops and grazing livestock. Logging operations are also responsible for the destruction of countless trees. Wildfires are another source of deforestation. Many companies have attempted to help restore the rainforests. They have begun large projects designed to replace the trees they cut down.

* livestock 가축

** logging 벌목

영영풀이 다음 설명에 해당하는 단어를 윗글에서 찾아 넣으시오.

1 c__________ too many to be counted

2 a__________ to take in liquid, gas, or another substance from the surface or space around something

3 c__________ happening or existing now

정답 및 해설 p. 28

1 윗글의 제목으로 가장 적절한 것은? [제목 찾기]

① The Impact of Greenhouse Gases
② The Importance of Plants and Animals
③ Protection for Threatened Animals and Plants
④ Movements for Planting Trees in the Rainforest
⑤ Roles of the Rainforest and Reasons for Deforestation

서술형

2 다음 두 문장을 연결하여 빈칸 (A)에 들어갈 하나의 문장을 완성하시오. [문장 완성]

Do you know? + How important is the rainforest to the survival of our planet?

____

3 윗글의 빈칸 (B)에 들어갈 말로 가장 적절한 것은? [빈칸 완성]

① Global warming ② Hunting animals ③ Greenhouse effect
④ Expanding agriculture ⑤ Building houses using woods

4 윗글에서 열대 우림의 역할로 언급된 것이 <u>아닌</u> 것은? [내용 불일치]

① to be the home of living things
② to provide various kinds of crops and animal products
③ to provide oxygen for the earth and its people and animals
④ to protect the earth from the sun's rays
⑤ to soak up greenhouse gases

VOCA 101

countless a. 셀 수 없는, 무수한
crucial a. 중대한, 결정적인
deforestation n. 산림 벌채
species n. (동식물의) 종
absorb v. ~을 흡수하다
graze v. 방목하다
inhabitant n. 주민, 거주자
rate n. 속도
restore v. ~을 복구하다, 회복시키다

정답 및 해설 p. 29

A 다음 설명에 해당하는 단어를 <보기>에서 골라 쓰시오.

〈보기〉 challenge current replace absorb abundant

1 ______________ more than enough

2 ______________ something that tests strength, skill, or ability, especially in a way that is interesting

3 ______________ happening or existing now

4 ______________ to put something or someone in the place of something or someone else

5 ______________ to take in liquid, gas, or another substance from the surface or space around something

B 다음 밑줄 친 단어와 유사한 의미의 단어와 표현을 고르시오.

1 All the flights were delayed due to <u>dense</u> fog.

① gentle ② busy ③ deep
④ thick ⑤ close

2 When we <u>arrived in</u> London, it was cold and raining.

① left ② reached ③ departed from
④ traveled to ⑤ took off from

3 James played a <u>crucial</u> role in the team's victory.

① cynical ② critical ③ unimportant
④ positive ⑤ minor

C 다음 주어진 단어를 알맞게 배열하여 우리말과 같은 뜻이 되도록 영작하시오.

1 우승자에게는 현금 수만 달러뿐만 아니라 소형 오픈 트럭이 수여된다.
(in cash / the winner / as well as / is awarded / ten thousands of dollars / a pickup truck)

→ ____

2 칠면조는 필그림이 미국에 도착한 이래로 추수감사절에 소비되고 있다. (Thanksgiving Day / has been eaten / the Pilgrims / on / turkey / since / arrived / in America)

→ ____

3 세계의 열대 우림은 놀라운 속도로 베어져 가고 있다.
(an alarming rate / the world's / at / rainforests / being / are / cut down)

→ ____

WORKBOOK

A 다음 빈칸에 알맞은 말을 <보기>에서 골라 쓰시오. 문맥에 맞는 어휘 고르기

<보기> cleansed temporary honor tend eventually

1 The soccer team's victory brought ______________ to the school.

2 He ______________ his face with soap and water.

3 He is confident that his team will succeed ______________.

4 You should consider ______________ work to gain experience.

5 Older people ______________ to sleep less than younger people.

B 글의 흐름으로 보아, 주어진 문장이 들어가기에 가장 적절한 곳을 고르시오. 문장 삽입

And it's not just music that does this.

How many times have you had your parents tell you to turn the music down? (①) Probably more times than you can count, right? (②) Young people like to listen to music loudly, not thinking it is unhealthy for their ears. Did you know, for instance, that listening to loud music for just 15 minutes can cause temporary hearing loss? (③) Any loud sound can cause damage to your ears. Loud noise causes the eardrum to vibrate a lot, which can damage the tiny hairs inside your cochlea. (④) Cochlea is the tube in your inner ear that turns sound into electrical signals for the brain to understand. (⑤) Temporary hearing loss usually disappears within a day or two. But remember that hearing loud sounds repeatedly can eventually cause permanent hearing loss. So, next time you want to turn up the volume, be careful!

C 음원을 듣고 빈칸을 채우시오. (지문뽀개기-받아쓰기)

Unit 01-01

The Ganges is one of the world's great rivers. It __________ from the Bay of Bengal to the Himalayas of northern India. In addition, it is over 1,500 miles __________ __________! It is a very rich agricultural region. The crops that are grown along the river feed __________ __________ __________ in India. These crops include rice, sugarcane, lentils, and wheat. The river is also __________ __________. For Hindus in India, the Ganges is not just a river. It is __________ __________. Some important Hindu festivals take place along the Ganges. Many Hindus make __________ __________ __________ __________ to the river in their lifetime. It is an honor for them __________ __________ in the river. This is done in order to __________ __________ __________.

Unit 01-03

Nowadays, it's common sense that too much cellphone use __________ __________ to our bodies. The main cause of those problems is __________ __________. The studies about effects of electromagnetic waves on human body are still continuing, but we already know that it can cause a headache, leukemia, __________ __________ __________, etc.

There are problems besides those resulting from electromagnetic waves. Did you know that speaking too loudly on your cellphone can be bad for __________ __________? Well, it's true. Scientists found that teenagers' __________ __________ can be harmed if they use their cellphones for __________ __________ __________ __________ a day. Teens tend to speak more loudly on the phone, __________ __________ __________. This can lead to vocal-chord-related problems.

A 다음 빈칸에 알맞은 말을 <보기>에서 골라 쓰시오. 문맥에 맞는 어휘 고르기

<보기> apply origin invented decided introduce

1 The designer wants to ______________ a new line of clothes.

2 We must find ways to ______________ the new technology to our lives.

3 Who ______________ the 3D printer?

4 The ______________ of this tradition is unknown.

5 Peggy's family ______________ to go to Canada on vacation.

B 주어진 글 다음에 이어질 글의 순서로 가장 적절한 것을 고르시오. 글의 순서

One morning, an old woman saw a little sparrow on her doorstep. She felt sorry for the sparrow and she fed him, then let him go, so that he could fly home. But the sparrow decided to stay with the woman and thank her with his songs every morning.

(A) When he saw them coming, the sparrow was very happy. That night, when the man and the woman started for their home again, the sparrow gave them a basket. When the old man and the woman got home, they opened the basket and found gold and precious silk. They were rich forever.

(B) Nearby lived an old woman who did not like to be awakened so early. She became so angry that she finally cut the sparrow's tongue. The poor little sparrow flew away to his home after this, but he could never sing again.

(C) When the kind woman found out what had happened, she said to her husband, "Let's go and find our little sparrow." After setting out, they asked every bird they met by if they knew where the sparrow that couldn't sing lived. At last, they found the home of their little friend.

① (A) – (C) – (B) ② (B) – (A) – (C) ③ (B) – (C) – (A)
④ (C) – (A) – (B) ⑤ (C) – (B) – (A)

C 음원을 듣고 빈칸을 채우시오. (지문뽀개기-받아쓰기)

Unit 02-01

Many modern cities have large, __________ __________ __________ called subways. Do you know where the first underground subway system was constructed? The English government decided to build a system to __________ __________ __________ __________ in the city. In 1863, the first subway system opened in London. However, the trains were __________ __________. This created a big problem because steam __________ __________ in the tunnels. This made the journey __________ __________ for passengers and subway operators. Engineers started to design a new system. Finally, in 1890, the __________ __________ __________ __________ were introduced in London's underground railway system. This electric technology was very successful. It __________ __________ __________ into Europe and North America.

Unit 02-02

If __________ __________ __________ __________, what would happen? We would not be able to know what day, month, or year it was. In addition, we wouldn't be able to __________ __________ __________ __________. How was the first calendar invented? The origin of the calendar begins with the study of astronomy. The __________ __________ __________ __________ was very important to the development of early calendars. Early civilizations __________ __________ __________ by the cycle of the Moon. Each cycle of the Moon has four phases. The __________ __________ is the New Moon. The second phase is the First Quarter. The third phase is the __________ __________. The last phase is the Last Quarter. After that, a __________ __________ would begin with the New Moon. However, this system __________ __________ __________ around the world because it could not measure __________ __________ __________ __________ correctly.

A 다음 빈칸에 알맞은 말을 <보기>에서 골라 쓰시오. 문맥에 맞는 어휘 고르기

<보기> achieve distinct served religion mental

1 Buddhism is not the most popular ________________ in India.

2 You should work hard to ________________ success.

3 An appetizer was ________________ before the main part of the meal.

4 Each candy has a ________________ flavor.

5 Stress is bad for your physical and ________________ health.

B 글의 흐름으로 보아, 주어진 문장이 들어가기에 가장 적절한 곳을 고르시오. 문장 삽입

This allows operations in the building to be extremely efficient.

The Pentagon is located in Arlington, Virginia, and it serves as the headquarters of the United States Department of Defense. (①) It consists of five triangles connected by corridors. Due to its famous five-sided shape, it is one of the most unique buildings in the world. The Pentagon has more than 3.7 million square feet of office space. (②) In spite of its huge size, it takes only seven minutes to reach any point in the building. (③) Over 23,000 employees work at the Pentagon, including the Joint Chiefs of Staff, the Secretary of Defense, and other members of the military. (④) The building is often compared to a small city. The United States military is able to control all of its armed forces from this one building. (⑤)

C 음원을 듣고 빈칸을 채우시오. 지문뽀개기-받아쓰기

Unit 03-01

Buddhism is one of the world's major religions. It has over 300 million __________ __________ worldwide. Great numbers of Buddhists are found in Asia. They think Buddha is __________ __________ __________ but a teacher who helps them find their own way to __________. For this reason, they honor Buddha's teachings. An __________ __________ __________ named Siddhartha Gautama was the first person to teach people about "the enlightened path." He became known as Buddha. Buddhism teaches that life is __________ __________ __________. However, we can overcome this pain if we __________ __________ from greed, hate, and ignorance. This allows a person's soul to be __________ __________. To achieve this, one ventures on a journey towards self-improvement. Wisdom, __________ __________, and mental development are also necessary to reach enlightenment.

Unit 03-03

Most people believe that there are __________ __________ to every rainbow. Most picture books draw rainbows with red, indigo, violet, orange, yellow, green, and blue lines. But __________ __________, there are actually a very large number of __________ __________ in every rainbow. In between yellow and green, for example, you can find yellow-green, and __________ yellow-green, and so on and so forth. So, how many colors are there in a rainbow? It's not easy to say. It __________ __________ the person looking at the rainbow as much as on the rainbow itself. Different people have a different ability to __________ __________ __________, while rainbows change slightly depending on several factors, like __________, __________ and time of day.

A 다음 빈칸에 알맞은 말을 <보기>에서 골라 쓰시오. (문맥에 맞는 어휘 고르기)

<보기> experienced violent adventurous attempted worth

1 The company hired some ________________ programmers.

2 The government announced a plan to fight against ________________ crime.

3 The boy ________________ to climb the tree.

4 Mt. Everest attracts ________________ mountain climbers.

5 The new book is ________________ reading.

B 주어진 글 다음에 이어질 글의 순서로 가장 적절한 것을 고르시오. (글의 순서)

Sailing solo around the world is a difficult journey. Many experienced sailors will never even attempt the task of sailing alone around the globe.

(A) However, he managed to overcome all the difficulties that he faced. Shortly after reaching the shore, he was awarded a certificate from the Guinness World Records committee.

(B) He encountered many dangers on his journey. Rough weather was a problem during his trip because violent storms could have overturned his boat. He also had to have his yacht repaired several times.

(C) However, on August 27, 2009, history was made. At the age of 17, Michael Perham became the youngest person to sail solo around the world. It took him 284 days to complete the journey.

① (A) – (C) – (B) ② (B) – (A) – (C) ③ (B) – (C) – (A)
④ (C) – (A) – (B) ⑤ (C) – (B) – (A)

정답 및 해설 p. 30

C 음원을 듣고 빈칸을 채우시오. (지문뽀개기-받아쓰기)

Unit 04-02

There are many different types of races for __________ __________. However, one of the most difficult competitions is the Sahara Race. The Sahara Race is a __________ __________ through the Sahara Desert. Competitors must travel over 150 miles through the __________ __________ __________. They also have to carry all of their own __________, __________, and __________ such as a sleeping bag, compass, knife, and first aid kit. For this reason, the packsack is usually very heavy. Most of all, they __________ __________ __________ the intense heat of the desert. All of these hardships __________ __________ __________ of competitors. Despite these extreme conditions, competitors from around thirty different countries take part in this race each year, and it offers them an __________ __________.

Unit 04-03

Les Miserables is one of the world's most famous musicals and is based on the book which has __________ __________ __________. However, the critics didn't like the musical when it __________ __________ __________. The interesting thing is that at first, the book was __________ __________ __________ either. When the book was first published in 1862, it sold well, but newspapers and magazines did not think it was very good. When the musical __________ __________ __________ in 1985, it sold out early on, but critics were __________ __________ with it.

To me, *Les Miserables* is one of the __________ __________ __________. The story of Jean Valjean and French society after the French Revolution __________ __________ and the music and the acting were excellent. Although the tickets were quite expensive, the show was __________ __________ __________. I would suggest seeing *Les Miserables* to anyone who has never seen a big production of a musical before. You __________ __________ __________!

A 다음 빈칸에 알맞은 말을 <보기>에서 골라 쓰시오. (문맥에 맞는 어휘 고르기)

<보기> occurrence traditional disappeared significant currents

1 The street musician played _______________ Irish folk song.

2 The cat _______________ behind the wall.

3 A solar eclipse is a natural _______________.

4 Strong _______________ carried the ship for miles.

5 The book had a _______________ influence on me.

B 글의 흐름으로 보아, 주어진 문장이 들어가기에 가장 적절한 곳을 고르시오. (문장 삽입)

Traditionally, the colors represent either the season or the social class which the wearer belonged to.

The kimono is traditional Japanese clothing, and the word "kimono" literally means "a thing to wear." The kimono is a long T-shaped robe with an open front. (①) It wraps around the body and is fastened around the waist with a cloth belt. Kimonos are often very colorful. (②) The kimono has a long history. Traditional kimonos began to be worn as early as 794. (③) They were worn by men and women of all ages and classes until Western clothes were introduced. (④) These days Japanese people rarely wear them in everyday life. (⑤) They wear them only for special occasions such as weddings, funerals, and "Coming-of-Age Day."

C 음원을 듣고 빈칸을 채우시오. 지문뽀개기-받아쓰기

Unit 05-02

The mystery of the Bermuda triangle has been a __________ __________ __________ for many decades. It is located in the Atlantic Ocean around Bermuda, Puerto Rico, and Florida. Over the years, hundreds of ships and planes have __________ __________ in this area. Some people believe that these disappearances happen because of __________ __________, such as aliens. Others believe that they are because the __________ __________ __________ don't apply in the Bermuda triangle. In fact, it is one of the only two places in the world where a compass points "true" north, not "__________" north. This could cause ships and planes to __________ __________ if they don't properly adjust their course. However, there are also many __________ __________ which explain the mysterious disappearances of vessels in the Bermuda triangle. __________ __________ are frequent occurrences in this area. They can turn up suddenly and severely damage a ship or plane. Fast currents can also __________ __________ __________ very quickly. This makes __________ __________ very difficult and dangerous.

Unit 05-03

Although many people believe that humans and animals __________ many of the same qualities and characteristics, like eating, sleeping and forming families, there are many __________ __________ between us. There are many facts about the __________ __________ that are interesting and surprising, and still others that are shocking. For example, did you know that a snail can __________ __________ __________ __________? That all polar bears are __________? How about that an ostrich's eye is __________ __________ its brain? Here are some other interesting facts. A butterfly tastes __________ __________ __________; catfish have over 27,000 taste buds; cats have over one hundred __________ __________ while dogs only have about ten; crocodiles can't stick their tongue out; elephants are the only animals that can't jump; starfish __________ __________ __________.

A 다음 빈칸에 알맞은 말을 <보기>에서 골라 쓰시오. 문맥에 맞는 어휘 고르기

<보기> civilizations proximity possible exchanged identity

1 The subway station is located in close ______________ to my home.

2 The students are studying early ______________ in Asia.

3 They ______________ gifts at the party.

4 It's not ______________ to get tickets for the concert now.

5 The ______________ of the old man is not unknown.

B 주어진 글 다음에 이어질 글의 순서로 가장 적절한 것을 고르시오. 글의 순서

Researchers are finally beginning to see the impact of climate change on our environment.

(A) For instance, rising sea levels are threatening the existence of small inhabited islands around the world. The small island nation of Kiribati is located in the Pacific Ocean near Australia. It is expected to be the first country in the world to disappear due to global climate change.

(B) Researchers have found that a dozen islands in close proximity to India are being threatened as well. The human cost of global warming is frightening. Some have estimated that 70,000 people around the world are currently in danger of losing their homes to rising sea levels.

(C) Government officials asked Australia and New Zealand to accept refugees from Kiribati. As the seas continue to swell, they will threaten the survival of many more island nations. Even some people of the low-lying islands in Vanuatu have been evacuated as a precaution.

① (A) – (C) – (B) ② (B) – (A) – (C) ③ (B) – (C) – (A)
④ (C) – (A) – (B) ⑤ (C) – (B) – (A)

정답 및 해설 p. 31

C 음원을 듣고 빈칸을 채우시오. (지문뽀개기-받아쓰기)

Unit 06-02

The Silk Road wasn't merely a road. It was an __________ __________ __________ for several ancient civilizations. The route was over 7,000 miles long. __________ __________ the ancient civilizations of Rome and China. Each civilization had something that __________ __________ __________ __________. For example, the Romans had gold and jewels, and China had __________ __________ __________. Unfortunately, the journey along the Silk Road was very dangerous. Travelers faced hot deserts, dangerous mountains, strong winds, __________ __________, and bandits. More than just goods were traded along this route. The Silk Road also made it possible to __________ __________ __________ and knowledge between civilizations. This trade route was a __________ __________ in the development of the great civilizations of China, India, Egypt, Persia, Arabia, and Rome.

Unit 06-03

Do you think that sports are just __________ __________ __________? In a lot of countries they are more than that. Sports can be a very serious event, more than __________ __________ __________. In Canada, for example, ice hockey is very important for __________ __________. Many Canadians say that hockey is a great part of being "Canadian." In the United States football is __________ __________ __________ in many parts of the country. Many people train, play, and watch the sport __________ __________ it is the most important part of life. In some countries, sports can even __________ __________ __________ __________. In 1970, El Salvador and Honduras actually __________ __________ __________ __________ after a soccer match that was a World Cup qualifying game.

A 다음 빈칸에 알맞은 말을 <보기>에서 골라 쓰시오. (문맥에 맞는 어휘 고르기)

<보기> unique messy extracurricular suggested experiment

1 Each person's fingerprints are ________________.

2 The writer always tries to ________________ with different styles of writing.

3 The table was ________________ with salt and juice.

4 Dad ________________ that he drive me to the station.

5 The school offers a variety of ________________ activities.

B 글의 흐름으로 보아, 주어진 문장이 들어가기에 가장 적절한 곳을 고르시오. (문장 삽입)

They were just too messy.

Have you ever wondered who made the first hamburger? (①) One story suggests a young boy named Charlie Nagreen invented the hamburger. (②) In 1885, he began to sell it at the Outagamie County Fair in Wisconsin. (③) Originally, he was selling meatballs at his food stand. (④) However, business was very slow. People found the meatballs too difficult to carry around. (⑤) All of a sudden, he came up with a brilliant idea! He flattened the meatballs. Then, he placed them between two slices of bread. He called his new invention a hamburger. He became known as "Hamburger Charlie." A hamburger hall of fame was even built in Charlie's hometown of Seymour, Wisconsin. The town has an annual burger festival on the first Saturday of August.

C 음원을 듣고 빈칸을 채우시오. (지문뽀개기-받아쓰기)

Unit 07-01

Are you interested in art? If so, who is your favorite painter? Here is a painter whose paintings __________ __________ by millions of people. Pablo Picasso, who was born in Spain in 1881, was __________ __________ __________. He enjoyed __________ with different styles of art, and he created over 20,000 artworks including __________ __________ __________ throughout his life. He was also well known as the founder of cubism. Cubism is a style of art that shows how an object can be seen from __________ __________ __________ at the same time. Due to his unique painting style, his paintings are __________ __________ among art collectors. In fact, several of Picasso's paintings are among the __________ __________ __________ in the world. On May 4, 2004, Picasso's painting *Garcon a la Pipe* sold for $104 million! You can view many of his paintings at the Picasso Museum in Barcelona, Spain.

Unit 07-03

These days, schools offer __________ __________ __________ than ever before. In the past, clubs were limited to basic hobbies like playing chess or __________ __________. Today, there are a wide range of activities that students can participate in.

Personally, I __________ __________ two clubs: the orienteering club and the environmental club. For the orienteering club, we __________ __________ __________ __________ every other weekend and weekend trips twice a semester. The club is really fun because we learn a lot of useful __________ __________ __________, like how to set up a tent, how to climb a mountain properly, how to fish and find food in the wilderness, and how to __________ __________ __________ if someone is hurt. For the environmental club, we focus on __________ __________ __________ such as acid rain, the ozone layer and overpopulation, and then write some plans to offer __________ __________ __________ __________ as a group.

A 다음 빈칸에 알맞은 말을 <보기>에서 골라 쓰시오. (문맥에 맞는 어휘 고르기)

<보기> emperor peak ruled local originally

1 The painting _______________ belonged to Mr. Anderson.

2 The kingdom was at its _______________ in the mid-17th century.

3 Qin Shi Huang is known to be the first _______________ of China.

4 You should try _______________ foods when visiting a foreign country.

5 Who _______________ today's Iran in the 6th century?

B 주어진 글 다음에 이어질 글의 순서로 가장 적절한 것을 고르시오. (글의 순서)

Did you know the origin of blue jeans goes back to fourteenth century Europe?

(A) At that time, the Gold Rush had reached its peak in California, and gold miners needed stronger working clothes. He designed and sold his blue jeans to the gold miners. His blue jean designs still influence today's fashion industry.

(B) That's right! Blue jeans were developed over 600 years ago in Italy. They were originally made from heavy cotton and wool. They have changed significantly over the centuries. By the eighteenth century they were made from one hundred percent cotton.

(C) Jeans, as we know them today, were heavily influenced by the Levi Strauss company. Levi Strauss was a cloth merchant in the nineteenth century in the United States. He moved to San Francisco to run his own business.

① (A) – (C) – (B) ② (B) – (A) – (C) ③ (B) – (C) – (A)
④ (C) – (A) – (B) ⑤ (C) – (B) – (A)

C 음원을 듣고 빈칸을 채우시오. (지문뽀개기-받아쓰기)

Unit 08-02

What do you think __________ __________ __________ __________ to discover an ancient army? Well, __________ __________ __________ to a group of local farmers in 1974. They __________ __________ Emperor Qin's Terracotta Army in the Shaanxi Province of China. It turned out to be one of the __________ __________ __________ in history. This ancient army of clay soldiers __________ __________ to 210 BC. Emperor Qin, the first Emperor of China, ordered his people to __________ __________ __________ at the age of thirteen. He asked them to make every soldier __________ __________. According to ancient historians, the army was created to help the emperor rule his kingdom __________ __________ __________. It took 700,000 workers to construct the statues. To date, over 8,500 different soldiers, chariots, and horses have been found by archaeologists.

Unit 08-03

When I was a little kid, __________ __________ __________ __________ the nickname of Mars was "The Red Planet." I didn't know __________ __________ __________ Mars was "red." It has been a kind of mystery to me __________ __________ __________. My science teacher, Ms. Meretsky, explained to us that the planet Mars is red not because of __________ __________ __________ that comes from the sun. Mars has a much __________ __________ than our own planet. That means scattered light is not as important in producing color as on Earth. It appears red from Earth because of the __________ __________ __________ __________ __________ in its atmosphere. Ms. Meretsky added that the soil of Mars is red __________ __________.

A 다음 빈칸에 알맞은 말을 <보기>에서 골라 쓰시오. (문맥에 맞는 어휘 고르기)

<보기> historic wonders peculiar involvement international

1 Aurora Borealis is one of the natural _______________ of the world.

2 Please tell me the 10 most important _______________ events that changed the world.

3 My sister has some _______________ habits.

4 The lawmaker denied any _______________ in the scandal.

5 My brother studies _______________ relations in college.

B 글의 흐름으로 보아, 주어진 문장이 들어가기에 가장 적절한 곳을 고르시오. (문장 삽입)

However, they only stayed there for fifteen minutes because they were short on oxygen.

On May 29, 1953, a historic achievement was finally made. Edmund Percival Hillary and the Nepalese Sherpa Tensing Norgay set foot on the world's highest point, Mount Everest. (①) They were the first two people to reach the summit of Mount Everest. (②) The success of this mission was due to careful planning, teamwork, and good weather. (③) All of the team members had to carry a twenty-six pound cylinder of oxygen with them, and it took them two and a half hours to climb the final 400 feet. (④) As soon as they reached the summit, they hugged each other with joy and relief. (⑤) They took several pictures, and as a Buddhist, Tensing buried some sweets in the snow as an offering to the gods. At last, they returned home as international heroes.

C 음원을 듣고 빈칸을 채우시오. (지문뽀개기-받아쓰기)

Unit 09-01

Did you know that the Taj Mahal was built because of a __________ __________ __________?

At the age of fourteen, Prince Khurrum __________ __________ __________ with a girl. They finally married and had a __________ __________. Unfortunately, his beloved wife died __________ __________ __________ after the prince became the Emperor of India in 1628.

In his sadness, the Emperor decided to build __________ __________ __________ in memory of her. The monument was named the Taj Mahal, and it means "Crown Palace." The Taj Mahal was built entirely out of __________ __________. The marble had to be brought in from all over Asia.

For this reason, more than twenty years and 22,000 workers were needed to complete the monument. To this day, the Taj Mahal remains one of the __________ __________ of the world, and it has become a symbol of India.

Unit 09-03

A peculiar thing began to happen on farms during the late 1970s in England. __________ __________ __________ were found in farmers' fields. The origin of these circles was __________ __________ __________ to investigators, and many people began to believe that aliens were __________ __________ __________. One theory suggested that the circles were created __________ __________ __________ when they landed. Another theory suggested that the circles were actually __________ __________ __________. Many people have even claimed to witness the formation of those circles by alien spacecraft. However, there is __________ __________ __________ to support those statements. In fact, two men even __________ __________ __________ in the formation of the original crop circles. Their names are Doug Bower and Dave Chorley. They claimed __________ __________ __________ the circles as a prank. They used planks, ropes, and wires to create patterns in farmer's fields. However, despite this admission, many still believe in the theory of __________ __________ in crop circles.

A 다음 빈칸에 알맞은 말을 <보기>에서 골라 쓰시오. (문맥에 맞는 어휘 고르기)

<보기> restored crucial frozen attacked harvests

1 They had enormous ______________ of rice last year.

2 They successfully ______________ the old painting.

3 I had some ______________ yogurt for a dessert.

4 Vitamins are ______________ for good health.

5 He was ______________ by a bear.

B 주어진 글 다음에 이어질 글의 순서로 가장 적절한 것을 고르시오. (글의 순서)

Do you know how important the rainforest is to the survival of our planet?

(A) Logging operations are also responsible for the destruction of countless trees. Wildfires are another source of deforestation. Many companies have attempted to help restore the rainforests. They have begun large projects designed to replace the trees they cut down.

(B) Yet, the world's rainforests are being cut down at an alarming rate. There are several reasons for the current rate of deforestation. Expanding agriculture is one important factor. Farmers cut down forests to provide more room for planting crops and grazing livestock.

(C) It is home to countless species of plants and animals. It provides oxygen for the planet and its inhabitants. Rainforests also protect the land from the sun's rays. Finally, the trees in the forest play a crucial role in absorbing greenhouse gases.

① (A) – (C) – (B) ② (B) – (A) – (C) ③ (B) – (C) – (A)
④ (C) – (A) – (B) ⑤ (C) – (B) – (A)

C 음원을 듣고 빈칸을 채우시오. (지문뽀개기-받아쓰기)

Unit 10-01

The Iditarod Trail Sled Dog Race is __________ __________ __________ for competitors and man's best friend, dogs. The race begins on the first Saturday in March every year in Alaska. The sled driver, called the musher, guides __________ __________ __________ __________ to sixteen dogs across 1,770 kilometers in ten to seventeen days. Each team frequently races __________ __________, below-zero temperatures, and strong winds to complete the race. The temperature can reach __________ __________ __________ –38 degrees Celsius, and the trail leads the racers through __________ __________, dense forests, and frozen rivers. This race began in 1973 as an event to test __________ __________ __________ and their dogs, and it became the world's most famous sled dog race. More than sixty teams compete each year. The winner is awarded __________ __________ __________ as well as 69,000 dollars in cash.

Unit 10-02

Do you know how __________ __________ became a Thanksgiving Day tradition?

In fact, there are several different stories. According to one story, it __________ __________ __________ 16th century England. While Queen Elizabeth I was celebrating a harvest festival with a __________ __________, she received the news that the Spanish armada had been sunk __________ __________ __________ to attack England.

With the joy of __________ __________ __________, she ordered another roast goose.

In this way, the roast goose became the favorite food at harvest festivals in England. When the Pilgrims left England, they __________ __________ __________ with them. However, the goose was soon replaced by the __________ __________ since it was abundant in America. Turkey has been eaten on Thanksgiving Day since __________ __________ __________ in America.

MEMO

수준별 맞춤

Vocabulary 시리즈

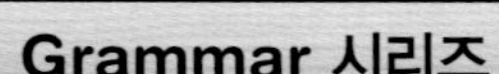

READING 101

한번에 끝내는 중등 영어 독해

LEVEL 2

영어교육연구소 지음

정답 및 해설

NEXUS Edu

정답 및 해설

01 | GEOGRAPHY p.13

1 ⑤　　2 ⑤　　3 ⑤

4 (They bathe in the Ganges in order) to cleanse their soul.

갠지스강은 세계의 큰 강 중 하나이다. 갠지스강은 벵골 만에서부터 인도 북부 히말라야 산맥까지 펼쳐져 있다. 게다가, 그 길이는 1,500마일이 넘는다! 그곳은 매우 비옥한 농업 지역이다. 강을 따라 자라는 농작물이 인도의 수백만 명을 먹여 살린다. 이 농작물에는 쌀, 사탕수수, 렌즈콩, 그리고 밀이 포함된다. 그 강은 또한 종교적으로 중요하다. 인도의 힌두교도들에게 갠지스강은 그저 단순한 하나의 강이 아니다. 그것은 여신이다. 몇몇 중요한 힌두교 축제는 갠지스강을 따라 열린다. 많은 힌두교도들은 일생에 적어도 한 번 갠지스강으로 순례를 떠난다. 그들에게 그 강에서 목욕하는 것은 영광이다. 이것은 그들의 영혼을 깨끗이 하기 위해 행해진다.

| 문제 해설 |

1 강을 따라 자라는 농작물이 인도의 수백만 명을 먹여 살린다고 말하고 있기 때문에 rich의 의미로 ⑤가 가장 적절하다.
① 매우 커다란　② 매우 발달된
③ 사람들로 아주 붐비는　④ 대개 매우 덥고 습한
⑤ 농작물과 식물이 재배하는 데 좋은

2 ⓐ, ⓑ, ⓒ, ⓓ는 대명사로 the Ganges를, ⓔ는 가주어로 진주어 to bathe in the river를 받는다.

3 (E) 이후부터 갠지스강이 종교적으로 중요한 이유가 나오므로 (E)가 가장 적절하다.

4 힌두교도들이 갠지스강에서 목욕하는 이유는 그들의 영혼을 깨끗이 하기 위해서이다.
왜 많은 힌두교도들이 갠지스강에서 목욕을 하는가?

| 영영풀이 |

1 stretch: 뻗어 있다
2 agricultural: 농업의
3 crop: 농작물

| 구문풀이 |

5행 *The crops* that are grown along the river *feed* millions of people in India. :
that은 관계대명사절의 주어 역할을 하는 주격 관계대명사이고, The crops는 관계대명사절의 수식을 받는 선행사이다. The crops가 문장의 주어이고, 동사는 feed로 '강을 따라 자라는 농작물이 수백만 명을 먹여 살린다'라는 뜻이다.

10행 *It* is an honor for them *to bathe in the river*. :
가주어 · 진주어 구문이며, to부정사의 의미상 주어는 대부분의 경우 「for + 목적격」으로 나타내고, 사람의 성질, 성격을 나타내는 형용사가 있는 경우는 「of + 목적격」으로 나타낸다.
It was *impossible* for him to win the game.
(그가 그 경기에서 우승하는 것은 불가능했다.)
It was *wise* of him to leave early.
(그가 일찍 떠난 것은 현명했다.)

10행 *This* is done *in order to cleanse* their soul. :
This는 앞 문장의 to bathe in the river를 가리키며, 주어가 동작이나 행위를 당하거나, 영향을 받는 대상으로 수동태 문장이다. 「in order to + 동사원형」은 '~하기 위하여'라는 뜻으로 목적을 나타낸다.

02 | INTERESTING FACTS p.15

1 cause temporary hearing loss　2 ③
3 ⑤　4 vibrate, electrical signals

부모님이 얼마나 자주 음악 소리를 줄이라고 얘기를 하나요? 아마 여러분이 셀 수 없을 만큼 자주 했을 거예요. 젊은 사람들은 음악을 크게 듣는 것을 좋아합니다. 그것이 우리 귀에 좋지 않다는 사실은 생각하지도 않고요. 예를 들면, 시끄러운 음악을 단 15분만 들어도 우리 귀가 일시적으로 들리지 않는다는 사실을 알고 있었나요? 이것은 음악만이 아닙니다. 시끄러운 소리라면 어떤 것이든 우리 귀를 손상시킬 수 있어요. 소음은 고막을 자주 진동시키고 달팽이관 안에 있는 아주 작은 털들을 손상시킵니다. 달팽이관은 소리를 두뇌가 이해할 수 있는 전자 신호로 바꿔주는 귀 안쪽에 있는 관입니다. 일시적인 청력의 상실은 대체로 하루나 이틀만에 사라집니다. 하지만 반복적으로 시끄러운 소리를 들으면 영구적으로 청력을 상실할 수도 있답니다. 그러니 다음 번에 볼륨을 높일 때는 조심하세요!.

| 문제 해설 |

1 지시대명사 this는 앞에 나온 말은 대신하는데 이 경우에는 문맥상 '일시적으로 청력을 손상시키는 것'을 의미한다.

2 윗글은 음악뿐만 아니라 어떠한 시끄러운 소리라도 청력을 손상시킬 수 있음을 알려주는 글이다. 따라서 ③ '시끄러운 소음을 들으면 귀에 손상이 올 수 있다'는 것이 글의 요지이다.
① 시끄러운 음악을 듣는 것은 재미있다.
② 시끄러운 소리는 고막을 많이 진동시킨다.
③ 시끄러운 소리라면 어떤 것이든 여러분의 귀를 손상시킬 수 있다.
④ 반복해서 시끄러운 소리를 듣는 것은 영구적인 청력 손실을 야기하지 않는다.
⑤ 라디오 소리를 키울 때에는 주의해라.

3 반복적으로 시끄러운 소음을 들을 경우 청력의 손상을 가져올 수 있음을 경고하는 글이다.

① 보도하기 위해 ② 설명하기 위해
③ 비판하기 위해 ④ 감사하기 위해
⑤ 경고하기 위해

4 시끄러운 소리는 우리의 귀를 다치게 한다. 그것은 고막을 자주 진동시키는데, 이는 두뇌가 이해할 수 있게 소리를 전자신호로 변환시키는 귀 안쪽에 있는 관인 달팽이관 안에 있는 아주 작은 털들을 손상시킨다.

| 영영풀이 |

1 vibrate: 진동하다, 떨리다
2 signal: 신호
3 permanent: 영구적인

| 구문풀이 |

1행 **How many times** have you had your parents tell you to turn the music down? :
현재완료 경험(~한 적이 있다)을 나타내는 문장이다. 현재완료 경험 용법은 주로 once, twice, three times, how many times, never, ever와 함께 쓰인다.

2행 Young people like to listen to music loudly, not thinking it is unhealthy for their ears. :
not thinking 이하는 분사구문이다. 이 문맥에서는 '~라고 생각하지 않고'라고 해석된다. 분사구문을 부정할 때에는 분사 앞에 not을 붙인다.

7행 Cochlea is the tube in your inner ear that turns sound into electrical signals for the brain *to understand*. :
to understand는 목적을 나타내는 to부정사이며, for the brain은 to부정사의 의미상 주어이다. to부정사의 의미상의 주어는 「for + 목적격」 형태로 쓸 수 있다.

03 | HEALTH p.17

1 ③	2 ⑤
3 ④	4 vocal-chord-related

휴대 전화를 너무 사용하면 신체에 좋지 않은 영향이 미칠 수 있다는 것은 요즘에는 상식이다. 대표적인 것이 전자파가 미치는 영향이다. 전자파가 인체에 미치는 영향에 대한 연구는 아직도 계속되고 있지만, 그것이 두통, 백혈병, 뇌종양 등을 일으킬 수 있다는 사실은 이미 알려져 있다.
전자파에 관한 문제만 있는 것은 아니다. 휴대 전화기에 대고 너무 큰 소리로 이야기하는 것이 건강에 해롭다는 것을 알고 있었는가? 이것은 사실이다. (휴대 전화를 사용하면 인체에 좋지 않은 영향이 너무 많이 미치기 때문에 십 대는 그것의 사용을 줄여야 한다.) 과학자들은 십 대들이 하루에 휴대 전화를 10분 이상 사용할 경우 성대가 상할 수도 있다는 것을 알아냈다. 십 대는 전화할 때 평소보다 큰 소리로 말하는 경향이 있는데, 특히 휴대 전화로는 크게 말한다. 이것이 성대에 관련된 여러 가지 문제를 야기하는 것이다.

| 문제 해설 |

1 (C)는 휴대 전화기에 대고 큰 소리로 얘기하는 것이 건강에 해롭다는 내용과 성대가 상할 수도 있다는 내용 사이에 위치하여 글의 흐름을 방해하고 있다.

2 마지막 두 문장에서 전화할 때 평소보다 큰 목소리로 말하기 때문에 성대가 상한다는 것을 알 수 있다.

① 그들은 목소리가 시끄럽다.
② 그들은 평소보다 시끄럽게 말하지 않는다.
③ 목소리가 낮으면 친구들이 잘 알아듣지 못한다.
④ 주변사람들이 전부 자신이 하는 말을 듣기를 바란다.
⑤ 그들은 휴대 전화로 통화할 때 종종 시끄럽게 말한다.

3 it can cause a headache, leukemia, a brain tumor를 통해 휴대 전화 사용이 두통, 백혈병, 뇌종양을 유발함을 알 수 있고 Scientists found that vocal chords can be harmed를 통해 성대가 손상될 수 있음을 알 수 있다.

① 두통 ② 백혈병
③ 뇌종양 ④ 청각 상실
⑤ 성대 관련 문제

4 십 대들은 보통 매일 적어도 10분 이상 휴대 전화를 사용하고, 전화를 할 때는 평상시보다 더 큰 목소리로 말한다. 과학자들은 사람들이 휴대 전화로 크게 말하면 여러 가지 성대 관련 문제로 연결된다는 것을 알아냈다.

| 영영풀이 |

1 effect: 효과
2 cause: 야기하다
3 harmful: 해로운

| 구문풀이 |

3행 The studies about effects of electromagnetic waves on human body are still continuing, ~ :
The studies ~ on human body가 주어이고 are가 동사인데, 동사는 The studies에 일치시켜야 하므로 복수동사가 쓰였다.

4행 ~ but we already know *that it can cause a headache, leukemia, a brain tumor, etc.* :
but 뒤에 이어지는 등위절에서 동사는 know, 목적어는 that이하의 명사절이다.

8행 *Using cellphones* has many harmful effects so teenagers should minimize it. :
이 문장의 주어는 Using cellphones이다. 동명사구는 단수 취급하므로 단수동사 has가 쓰였다.

9행 ~ teenagers' vocal chords can be harmed if they use their cellphones for more than 10 minutes a day. :
for, during은 둘 다 '~동안'을 의미하지만, for는 a week, two months와 같은 숫자 표현과 함께, during은 the vacation과 같은 특정 기간을 나타내는 명사가 온다. 이 문장에서 a는 per(~당)와 같은 의미를 가진다.

Review Test p.18

A

1 vibrate 2 crop 3 harmful
4 stretch 5 permanent

B

1 ① 2 ⑤ 3 ③

C

1 It is an honor for them to bathe in the river.
2 Any loud sound can cause damage to your ears.
3 Teens tend to speak more loudly on the phone.

A

1 vibrate: 진동하다
2 crop: 농작물
3 harmful: 해로운
4 stretch: 뻗어 있다
5 permanent: 영구적인

B

1 take place: 발생하다(= happen)
"하이 서울" 축제는 매년 5월에 열린다.
2 repeatedly: 계속해서(= continually)
그 남자는 계속해서 나에게 자신의 가족에 대해 이야기했다.
3 cause: 야기하다(= lead to)
당신의 결정은 가까운 미래에 많은 문제를 야기할 수 있다.

C

1 It: 가주어, to bathe ~: 진주어, for them: to부정사의 의미상 주어
2 긍정문에서 any의 의미: 어떠한 ~이라도
3 tend + to부정사: ~하는 경향이 있다

01 | BRILLIANT INVENTIONS p.21

1 ④ 2 ④ 3 ③
4 the trains were steam powered

많은 현대 도시들은 지하철이라고 불리는 대규모 지하 철도 시스템을 가지고 있다.

(B)
최초의 지하철 시스템이 어디에 건설되었는지 아는가? 영국 정부는 도시의 극심한 교통 정체를 줄일 시스템을 구축하기로 결정했다. 1863년, 최초의 지하철 시스템이 런던에서 개통되었다.

(C)
그러나 기차는 증기로 가동되었다. 증기가 터널에 모이면서 이것은 큰 문제를 일으켰다. 이것이 승객들과 지하철 기관사에겐 그 여행을 매우 불편하게 했다. 기술자들은 새로운 시스템을 구상하기 시작했다.

(A)
드디어, 1890년에 최초의 전기 지하철이 런던의 지하 철도 시스템에 도입되었다. 이 전기 기술은 매우 성공적이었다. 그것은 유럽과 북미로 매우 급속히 퍼졌다.

| 문제 해설 |

1 지하철이 어떻게 개발되었는지에 대한 글로, (B) 최초의 지하철을 세우게 된 계기 – (C) 최초의 지하철의 문제점에 대한 내용 – (A) 최초의 지하철의 문제를 보완한 전기 지하철에 관한 내용으로 이어지는 것이 가장 자연스럽다.

2 make는 5문형(주어 + 동사 + 목적어 + 목적격 보어)에서 목적격 보어로 부사가 아니라 형용사를 취한다.

3 영국 정부는 심각한 교통 혼잡을 줄이기 위해 지하철을 건설하려고 했다.
왜 영국 정부는 지하 철도 시스템을 건설하기로 결정했는가?
① 대기 오염을 줄이는 데 도움을 주려고
② 교통사고를 줄이려고
③ 교통 체증 문제를 해결하려고
④ 저렴한 대중교통을 제공하려고
⑤ 좀더 편안한 대중교통을 제공하려고

4 This는 앞 문장의 the trains were steam powered를 가리킨다.

| 영영풀이 |

1 construct: ~을 건설하다
2 congestion: 정체, 막힘
3 passenger: 승객

| 구문풀이 |

1행 Many modern cities have **large, underground train systems** called subways. :
called subways는 명사 large, underground train systems를 수식하는 과거분사이다. 분사가 단독으로 쓰일 경우 명사 앞에서 명사를 수식하지만, 분사가 구를 이루어 명사를 수식할 경우 명사 뒤에서 수식한다.
a broken mirror (깨진 거울)
a mirror broken into pieces (산산조각 난 거울)

8행 Do you know where the first underground subway system was constructed? :
Do you know?와 Where was the first underground system constructed? 두 문장을 간접의문문으로 연결한 문장으로 간접의문문의 어순은 「의문사 + 주어 +동사」이다.

9행 The English government **decided to build** a system to reduce heavy traffic congestion in the city. :
decide는 want, hope, need, agree 등과 같이 목적어로 to부정사를 취하는 동사이다.

14행 Engineers **started** to design a new system. :
start는 begin, love, like, hate 등과 같이 목적어로 to부정사와 동명사를 모두 취할 수 있는 동사이다.(= Engineers started designing a new system.)

02 | ORIGIN p.23

1 ⑤ 2 ③
3 They are the New Moon, the First Quarter, the Full Moon, and the Last Quarter.

달력이 없다면 어떤 일이 일어날까? 무슨 요일인지, 무슨 달인지, 그리고 몇 년인지 알 수 없을 것이다. 게다가, 미래 계획도 세우지 못할 것이다. 최초의 달력은 어떻게 고안되었을까? 달력의 기원은 천문학 연구와 함께 시작된다. 달(the Moon)의 주기는 초기 달력의 발달에 매우 중요했다. 초기 문명은 달(the Moon)의 주기로 각 달(month)을 측정했다. 각 달(the Moon)의 주기는 네 개의 단계이다. 첫 번째 단계는 초승달이다. 두 번째 단계는 상현달이다. 세 번째 단계는 보름달이다. 네 번째 단계는 하현달이다. 이후 초승달과 함께 새로운 달(month)이 시작된다. 그러나 이러한 체계는 시간 흐름을 정확하게 측정하지 못했기 때문에 전 세계로 확산되지 못했다.

| 문제 해설 |

1 초기 문명은 달(the Moon)의 네 단계의 주기로 달(month)을 측정했다고 말하고 있으므로 this system은 달(the Moon)의 주기로 달(month)을 측정하는 방법을 가리킨다.

① 달력의 사용

② 천문학 연구

③ 미래를 계획하는 것

④ 시간의 흐름을 측정하는 것

⑤ 달(the Moon)의 주기로 달(month)을 측정하는 것

2 달의 주기는 초기 달력의 발달에 중요한 역할을 했지만, 시간의 흐름을 정확히 측정하지 못했기 때문에 전 세계로 확산되지 못했다고 언급하고 있으므로 빈칸에 알맞은 말은 developing과 accurate이다.

달의 주기는 초기 달력을 발달시키는 데 커다란 역할을 했지만, 정확하지 않은 것으로 밝혀졌다.

(A)		(B)
① 발명하는	…	틀린
② 확산시키는	…	올바른
③ 발달시키는	…	정확한
④ 바꾸는	…	틀린
⑤ 시작하는	…	진실되지 않은

3 달의 주기 네 단계는 초승달(the New Moon), 상현달(the First Quarter), 보름달(the Full Moon), 하현달(the Last Quarter)이다.

달 주기의 네 단계는 무엇인가?

| 영영풀이 |

1 cycle: 순환, 주기

2 measure: ~을 측정하다

3 phase: 단계

| 구문풀이 |

1행 If there were no calendars, what would happen? :
현재 사실과 반대되는 상황을 가정하거나 상상할 때 쓰는 가정법과거 문장이고, '달력이 없으면 어떤 일이 일어날까?'라는 뜻이다.

2행 We **would not** be able to know what day, month, or year it was. :
현재 사실과 반대되는 내용으로 if절이 생략된 가정법 문장이다. 「be able to + 동사원형」은 '~할 수 있다'라는 의미로 능력을 나타낸다. what은 know의 목적어 역할을 하는 명사절을 이끈다.

5행 How was the first calendar invented? :
수동태 의문문이다. 의문사가 행위자인 경우의 수동태 의문문은 「by+의문사의 목적격(whom)+be동사+주어+과거분사?」로 나타내고, 의문사가 행위자가 아닌 경우의 수동태 의문문은 「의문사+be동사+주어+과거분사(+by+행위자)?」로 나타낸다.
By whom was this book written? (이 책은 누구에 의해 쓰여졌니?) - 의문사가 행위자인 경우
When was this book written by Hemingway? (이 책은 언제 헤밍웨이에 의해 쓰여졌니?) - 의문사가 행위자가 아닌 경우

9행 Early civilizations measured **each** month by the cycle of the Moon. :
each는 '각기', '각각의'라는 의미로 뒤에 단수명사가 온다.

13행 ~ this system failed to spread around the world~. :
「fail + to부정사」은 '~하지 못하다'라는 의미로 '전 세계로 확산되지 못했다'라는 뜻이다.

03 | TALES FROM THE WORLD p.25

1 ⑤ 2 ③ 3 ⑤
4 sparrow, sparrow

어느 날 아침에 어떤 한 할머니가 문간에 있는 작은 참새를 보게 되었다. 그 참새가 불쌍하여 할머니는 ⓐ 새에게 먹이를 주고는 집으로 날아갈 수 있도록 놓아주었다. 그러나 참새는 같이 있으면서 매일 아침 ⓑ 자신의 노래를 해서 할머니에게 감사한 마음을 표시하기로 했다. 근처에는 그렇게 일찍 (참새 소리에) 잠을 깨는 것을 좋아하지 않는 노파가 살고 있었다. 그 여자는 아주 화가 나서 마침내 참새의 혀를 잘라버렸다. 이 일이 있은 후에 불쌍한 작은 참새는 집으로 날라 갔지만 ⓒ 그 새는 다시는 노래를 할 수 없게 되었다. 착한 할머니는 무슨 일이 일어났는지 알게 되자, 남편에게 이렇게 말했다. "우리 작은 참새를 찾으러 갑시다." 출발한 후 두 사람은 만나는 새마다 노래를 할 수 없는 참새가 어디에 사는지 알고 있냐고 물었다. 드디어 두 사람은 ⓓ 작은 친구가 사는 집을 찾았다. 두 사람이 오는 것을 보자 참새는 너무 기뻤다. 그날 밤 ⓔ 할아버지와 할머니가 집으로 돌아가려고 하자, 참새는 바구니를 하나 주었다. 늙은 부부가 집에 돌아와 바구니를 열어보았더니 금과 귀한 비단이 들어 있었다. 두 사람은 영원히 부자로 살게 되었다.

| 문제 해설 |

1 ⓐ~ⓓ는 sparrow(참새)를 의미하고 ⓔ는 할아버지를 뜻한다.

2 But the sparrow decided to stay with the woman and thank her with his songs every morning에서 참새가 고마움을 표시하기 위해 할머니 집에 머물기로 했음을 알 수 있다.

① 먹이를 얻으려고
② 노래로 할머니를 성가시게 하려고
③ 할머니의 친절에 감사하려고
④ 아침 일찍 할머니를 깨우려고
⑤ 할머니 집에서 금을 찾으려고

3 ① 참새가 아침 일찍 노래해서 화난 사람은 남편이 아니라 이웃이었다. ② 노파는 남편과 함께 참새를 찾길 원했다. ③ 이웃은 아침에 참새의 노래를 듣는 것을 싫어했다. ④ 참새의 혀를 자른 것은 이웃이었다. ⑤ 이야기의 마지막에서 참새가 준 바구니 안에 금과 비단이 있어서 노부부는 부자가 되었음을 알 수 있다.
① 남편은 참새가 너무 일찍 노래를 해서 화가 났다.
② 할머니는 남편 없이 참새를 찾고 싶어했다.
③ 이웃은 아침에 참새의 노래를 듣는 것을 좋아했다.
④ 화가 난 남편은 참새의 혀를 잘라서 참새는 날아가 버렸다.
⑤ 노부부는 바구니를 가지고 와서 부자가 되었다.

4 한 할머니가 참새를 도와주었고, 그 참새는 이웃 사람에게 혀가 잘리기 전까지 그녀를 위해 노래를 불러주었다. 그 후에 친절한 할머니와 할머니의 남편이 참새를 찾아갔다. 그들은 보물을 많이 받았고, 부자가 되었다.

| 영영풀이 |

1 awaken: 깨우다
2 find out: 발견하다
3 precious: 값비싼

| 구문풀이 |

5행 *Nearby* lived an old woman who did not like to be awakened so early~. :
「주어+자동사+장소부사(구)」로 구성된 문장은 장소부사(구)가 문장 앞으로 나가면서 주어와 동사가 도치된 형태로 쓰일 수 있다. who 이하는 an old woman을 수식하는 형용사절이다.

8행 When the kind woman found out what had happened, she said to her husband, ~. :
what 이하의 명사절은 found out의 목적어가 된다. 명사절에서 what이 주어, had happened가 동사인데, happen의 시제가 과거완료로 쓰인 것은 주절의 found out보다 앞서 일어난 대과거이기 때문이다.

9행 After setting out, they asked every bird they met by if they knew where the sparrow that couldn't sing lived. :
이 문장의 동사는 asked, 간접목적어는 every bird, 직접목적어는 if(~인지 아닌지)이하의 명사절이다. they met by는 every bird를 꾸며주는 형용사절이다.

Review Test p.26

A

1 find out 2 congestion
3 construct 4 awaken
5 measure

B

1 ④ 2 ⑤ 3 ②

C

1 This made the journey very uncomfortable for passengers and subway operators.
2 If there were no calendars, what would happen? / What would happen if there were no calendars?
3 lived an old woman who did not like to be awakened so early

A

1 find out: 발견하다
2 congestion: 정체, 막힘
3 construct: ~을 건설하다
4 awaken: 깨우다
5 measure: ~을 측정하다

B

1 reduce: 줄이다(= decrease)
새 정부는 교육비를 줄일 계획이 있다.
2 happen: 발생하다(= occur)
자동차 사고는 이 지역에서 자주 발생하니 주의해라.
3 precious: 귀중한(= valuable)
보물상자는 귀중한 보석으로 가득했다.

C

1 make + 목적어 + 형용사: ~를 ~하게 만들다
2 if가정법 과거: if + 주어 + 과거동사, 주어 + would/could/might + 동사원형
3 부사 + V + S : 부사가 맨 앞으로 나오면서 주어와 동사 도치

01 | CULTURE & RELIGION p.29

1 ③ 2 ② 3 ⑤

불교는 세계 주요 종교 중 하나이다. 불교는 전 세계에서 3억 명의 신도를 거느리고 있다. 아시아에서 많은 불교 신자들을 볼 수 있다. 그들은 부처가 신이 아니라 자신들이 해탈에 이르는 길을 찾는 것을 도와주는 스승이라고 생각한다. 이러한 이유로, 그들은 부처의 가르침을 숭배한다. 고타마 싯다르타라는 이름의 고대 인도의 왕자는 '해탈의 도'에 관해 사람들에게 가르침을 전한 최초의 인물이었다. 그는 부처로 알려지게 되었다. 불교에서는 인생이란 고통으로 가득 찬 것으로 가르친다. 하지만 우리가 탐욕, 증오, 무지에서 해방되면 우리는 이런 고통을 극복할 수 있다. 이로써 인간의 정신은 평온에 이르게 된다. 이를 달성하려면 사람들은 자기 수양 여행을 떠나야 한다. 또한 지혜, 선행, 정신수양이 해탈에 이르는 데 필요하다.

| 문제 해설 |

1 불교 신자들은 부처가 해탈에 이르는 길로 안내하는 스승이라고 여기므로 부처의 가르침을 숭배한다고 언급하고 있다. 따라서 빈칸에는 이유를 나타내는 연결어가 와야 한다.

① 마찬가지로 ② 한편
③ 이러한 이유로 ④ 마지막으로
⑤ 다른 한편으로는

2 ⓑ의 they는 Buddhists를 가리킨다.

ⓐ 그것 – 불교
ⓑ 그들 – 주요 종교
ⓒ 그 – 고타마 싯다르타
ⓓ 이것 – 우리 자신을 탐욕, 증오, 무지에서 해방시키는 것
ⓔ 이것 – 인간의 정신을 평온하게 하는 것

3 to reach는 '이르기 위해서'라는 의미로 목적을 나타내는 to부정사의 부사적 용법에 해당한다. ① '되는 것'이라는 의미로 주어 역할을 하는 명사적 용법, ② '그녀를 기쁘게 할 계획'이라는 뜻으로 plan을 수식하는 형용사적 용법, ③ '여행하는 것'이라는 의미로 보어 역할을 하는 명사적 용법, ④ '경찰관이 되기를'이라는 뜻으로 wants의 목적어 역할을 하는 명사적 용법, ⑤ '살을 빼기 위해서'라는 의미로 부사적 용법에 해당한다. 따라서 정답은 ⑤이다.

① 훌륭한 작가가 되는 것이 나의 꿈이다.
② 나에게 그녀를 기쁘게 할 좋은 계획이 있어.
③ 내 계획은 배로 전 세계를 여행하는 것이다.
④ 그녀는 미래에 경찰관이 되기를 원한다.
⑤ 마사는 살을 빼기 위해 오후 6시 이후에는 아무것도 먹지 않는다.

| 영영풀이 |

1 faithful: 충실한, 신의 있는
2 overcome: ~을 극복하다
3 journey: 여행

| 구문풀이 |

3행 They **think** Buddha is **not** a god **but** a teacher *who* helps them find~. :
think의 목적어 역할을 하는 명사절을 이끄는 접속사 that이 생략되었다. 「not A but B」는 'A가 아니라 B'라는 의미의 상관접속사이며, '신이 아닌 스승이라고 생각한다'라는 의미이다. who는 주격 관계대명사이고, a teacher는 관계대명사절의 수식을 받는 선행사이다.

5행 ~ **the first person** to teach people about "the enlightened path." :
to teach가 앞에 있는 명사를 수식하는 to부정사의 형용사적 용법이며, '"해탈의 도"에 대해 사람들에게 가르친 최초의 사람'이라는 뜻이다.

7행 ~we can overcome this pain if we free ourselves from greed, hate, and ignorance. :
if는 '(만약) ~라면'이라는 의미의 조건을 나타내는 부사절을 이끄는 접속사이다.

9행 **To achieve this,** one ventures on a journey towards self-improvement. :
'이것에 이르게 위해서는'이라는 뜻으로 목적을 나타내는 to부정사의 부사적 용법에 해당한다. 이때 to는 「in order to+동사원형」으로 바꾸어 쓸 수 있다.(= In order to achieve this,) one은 일반인을 나타내는 부정대명사이다.

02 | ARCHITECTURE p.31

1 ③ 2 ⑤ 3 ②
4 건물 안의 어떤 곳이라도 7분이면 이동할 수 있다는 점

펜타곤은 버지니아 주, 알링턴에 있고, 미국 국방성 본부이다. 그것은 복도로 연결된 다섯 개의 삼각형으로 이루어져 있다. 그것의 유명한 오면체 모양 때문에 그것은 세계에서 가장 독특한 건물 중 하나이다. 펜타곤은 370만 제곱피트 이상의 사무 공간을 가지고 있다. 그것의 거대한 규모에도 불구하고 건물 어느 곳이든 7분이면 도달한다. 이것이 건물 내에서의 업무를 효율적으로 만들어 준다. 합동 참모 본부, 국방장관, 그리고 다른 군부 인사들을 포함한 23,000명이 넘는 직원이 펜타곤에서 일한다. 이 건물은 흔히 소도시에 비유된다. 미군은 이 한 건물에서 모든 군대를 통제할 수 있다.

| 문제 해설 |

1 펜타곤의 거대한 사이즈에도 불구하고 건물 안의 어떤 곳이라도 7분이면 이동할 수 있다고 언급하고 있고, 빈칸 뒤에 명사구가 나오므로 빈칸에는 '~에도 불구하고'라는 양보의 의미를 가진 전치사(구)가 와야 한다.

① ~의 경우에는 ② ~ 때문에
③ ~에도 불구하고 ④ ~와 마찬가지로
⑤ ~ 때문에

2 ⓐ, ⓑ, ⓒ, ⓓ는 the Pentagon을 가리키며, ⓔ는 the United States military를 가리킨다.

3 펜타곤은 다섯 개의 삼각형이 복도로 연결된 모양이다.

4 건물 안의 어떤 곳이라도 7분이면 이동할 수 있다는 점이 업무를 효율적으로 할 수 있게 해준다고 말하고 있다.

| 영영풀이 |

1 operation: 기능, 운영, 작용
2 efficient: 효율적인, 능률적인
3 employee: 피고용자, 종업원

| 구문풀이 |

4행 It **consists of** *five triangles* connected by corridors. :
「consist of ~」는 '~로 이루어져 있다'라는 의미이다. connected 이하가 five triangles를 수식하는 과거분사구로 '복도로 연결된 다섯 개의 삼각형'이라는 뜻이다.

10행 **~it takes only seven minutes to reach** *any* point in the building~. :
「it takes+시간+to부정사」는 '~하는 데 …의 시간이 걸리다'라는 의미이다. any는 주로 부정문, 의문문, 조건문에 쓰여 '얼마간', '약간'이라는 의미를 나타내지만, 긍정문에서 '어떤/어느 ~라도'라는 의미를 나타낸다. any point in the building은 '건물 안의 어떤 곳이라도'라는 뜻이다.

11행 This allows **operations in the building** *to be extremely efficient*. :
allow는 '~을 가능하게 하다'라는 의미이고, operations in the building이 목적어, to be extremely efficient가 목적격 보어로 '이것이 건물 안의 업무를 매우 효율적으로 하게 한다'라는 의미이다. allow는 목적격 보어로 to부정사를 취한다.

03 | INTERESTING FACTS p.33

1 ④	2 ②	3 ②	4 distinct

대부분의 사람들은 무지개는 일곱 가지 색으로 되어 있다고 생각한다. 대부분의 그림책에서도 무지개를 빨간색, 남색, 보라색, 주황색, 노란색, 초록색, 파란색 선으로 그리고 있다. 하지만 실제로 모든 무지개는 각각 아주 많은 수의 별개의 색으로 이루어져 있다. 예를 들어 노란색과 초록색만 봐도 그 사이에 녹황색, 푸르스름한 녹황색 등등이 있다. 그렇다면 무지개에는 몇 가지 색이 있을까? 단정을 짓기는 힘들다. 무지개 색은 무지개 자체만큼이나 무지개를 보는 사람의 시각에 달려 있기 때문이다. 또 개개의 사람들은 각각 색을 지각하는 능력이 다르고, 무지개 역시 습기와 햇살, 그리고 시각과 같은 여러 요인에 의해 조금 변화한다.

| 문제 해설 |

1 빈칸의 앞 내용과 뒤따르는 내용이 서로 상반되고 실제 정보를 나타내고 있으므로 '실제로는'이라는 뜻의 in reality가 알맞다.

① 예를 들어 ② 다른 방식으로
③ 한 가지 예로 ④ 실제로는
⑤ 비슷하게

2 주어진 문장은 '그렇다면 무지개에는 몇 가지 색이 있을까?'라는 질문에 대한 답(단정짓기 힘들다)이 바로 뒤따라나오는 위치인 (B)가 가장 적절하다.

3 무지개에 몇 가지 색이 있는지 단정하기는 힘들고 무지개 색은 보는 사람의 시각에 달려 있다고 했으므로 ②가 내용과 일치하지 않음을 알 수 있다.

① 무지개에 7개의 색깔만 있는 것은 아니다.
② 무지개에 정확히 몇 개의 색이 있는지 알 수 있다.
③ 무지개에는 녹황색, 푸르스름한 녹황색이 있다.
④ 사람들은 대부분 무지개에 7개의 색이 있다고 믿는다.
⑤ 습기, 햇살, 하루 시간대는 무지개 색을 변화시키는 요인이다.

4 distinct(별개의, ~와 다른): 확연히 다르거나 다른 형태에 속해 있는

| 영영풀이 |

1 perceive: ~을 지각하다, 인지하다
2 factor: 요인
3 moisture: 습기, 수분

| 구문풀이 |

6행 It depends on *the person* looking at the rainbow as much as on the rainbow itself. :
looking at 이하는 the person을 꾸며주는 분사구이다.

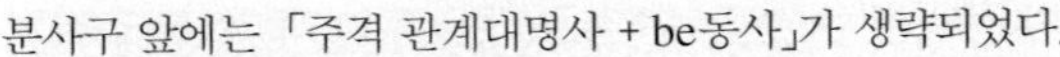
분사구 앞에는 「주격 관계대명사 + be동사」가 생략되었다.

7행 Different people have a different *ability* to perceive different colors, ~. :
to perceive는 형용사적 용법의 to부정사로 ability를 꾸며준다.

Review Test p.34

A

1 journey 2 moisture 3 efficient
4 overcome 5 operation

B

1 ③ 2 ① 3 ③

C

1 This allows a person's soul to be at peace.
2 It takes only seven minutes to reach any point in the building.
3 Most people believe that there are seven colors to every rainbow.

A

1 journey: 여행
2 moisture: 습기, 수분
3 efficient: 효율적인, 능률적인
4 overcome: ~을 극복하다
5 operation: 기능, 운영, 작용

B

1 faithful: 충실한, 신의 있는(= loyal)
산초 판자는 돈키호테의 충실한 종이다.
2 consist of: ~로 구성되다(= be made up of)
태양계는 태양과 그 주변을 도는 8개의 행성으로 구성된다.
3 perceive: ~을 지각하다, 인지하다(= recognize)
어떤 동물들은 색깔을 인지할 수 없다.

C

1 allow + 목적어 + to부정사: ~가 ...하는 것을 허락하다
2 it takes + 시간 + to부정사: ~하는데 ... 만큼의 시간이 걸리다
3 believe that 주어 + 동사: ~하는 것을 믿다

01 | ADVENTURE p.37

1 ⑤ 2 ③ 3 ⑤

단독 세계 일주 항해는 어려운 여정이다. 많은 노련한 선원들도 단독 세계 일주 항해라는 임무에 선뜻 나서지 않을 것이다. 그러나 2009년 8월 27일, 역사는 이루어졌다. 17세의 나이에 마이클 퍼햄은 단독 세계 일주 항해를 한 최연소 인물이 되었다. 그가 그 여정을 마치는 데는 284일이 소요되었다. 그는 여행 도중 많은 위험에 직면했다. 거친 날씨는 여행하는 동안 하나의 문제점이었는데 사나운 폭풍이 배를 전복시킬 수도 있었기 때문이다. 또한, 그는 여러 차례 자신의 요트를 수리해야만 했다. 그러나 그는 자신이 마주친 모든 어려움을 간신히 극복했다. 해안에 다다른 직후 그는 기네스 세계기록위원회로부터 인증서를 받았다.

| 문제 해설 |

1 최연소로 단독 세계 일주 항해에 성공한 인물과 그 항해에 관한 글이다.
윗글의 주제로 가장 적절한 것은?
① 세계를 여행하는 동안의 어려움
② 항해 여행의 즐거운 추억
③ 세계 일주 항해를 하려는 끝없는 시도
④ 어려운 일: 세계 일주
⑤ 세계 일주 항해를 한 최연소 인물

2 마이클 퍼햄이 항해 중 직면한 어려움이 제시된 문장 앞인 (C)에 와야 적절하다.

3 밑줄 친 that은 difficulties를 수식하는 관계대명사절을 이끄는 목적격 관계대명사이다. ① '저것'이라는 의미의 지시대명사, ② '저~'라는 의미로 명사를 수식하는 지시형용사, ③ 보어 역할을 하는 명사절을 이끄는 접속사, ④ knew의 목적어 역할을 하는 명사절을 이끄는 접속사, ⑤ the most exciting movies를 수식하는 관계대명사절을 이끄는 목적격 관계대명사이다.
① 저것은 내 공책이 아니다.
② 나는 저 소년을 전에 본 적이 없다.
③ 문제는 우리가 돈이 없다는 것이다.
④ 나는 그가 대회에서 우승할 거라는 것을 알고 있었다.
⑤ 그것은 내가 이제껏 본 영화 중에서 가장 재미있는 영화 중 하나이다.

| 영영풀이 |

1 sail: 항해하다
2 complete: 끝내다
3 award: 수여하다

| 구문풀이 |

1행 **Sailing solo around the world** is a difficult journey. :
동명사가 문장의 주어 역할을 하고, '세계 일주 항해를 하는 것'이라는 뜻이다. 동명사는 「동사원형+ing」의 형태로 명사처럼 문장에서 주어, 보어, 목적어 역할을 하고, '~하는 것', '~하기'라고 해석하며, 동명사가 문장의 주어로 올 경우 단수동사를 쓴다.

3행 ~Michael Perham became **the youngest person** to sail solo around the world~. :
to sail 이하가 the youngest person을 수식하는 to부정사의 형용사적 용법으로 '세계 일주 항해를 한 가장 어린 사람'이라는 뜻이다.

4행 **It took** *him 284 days* to complete the journey. :
「it takes+사람+시간+to부정사」는 '~가 …하는 데 ~의 시간이 걸리다'라는 의미로 '그가 그 여정을 마치는 데 284일이 걸렸다'라는 뜻이다.

6행 ~violent storms **could have overturned** his boat. :
「조동사+have+과거분사」는 과거의 추측이나 심경을 나타낸다. 「could+have+과거분사」는 '~할 수도 있었다(가능할 뻔했으나 일어나지 않음)'라는 의미로 '사나운 폭풍이 배를 전복시킬 수도 있었다'라는 뜻이다.

7행 ~he **managed to overcome** all the difficulties~. :
「manage+to부정사」는 '간신히 ~하다'라는 의미로 '그는 모든 어려움을 간신히 극복했다'라는 뜻이다.

8행 **Shortly** after reaching the shore, ~.:
shortly는 형용사에 -ly가 붙어 전혀 다른 의미가 되는 부사로 short는 형용사로 '짧은', 부사로 '짧게', 라는 뜻이고, -ly가 붙은 shortly는 부사로 '곧'이라는 의미이다.

02 | CHALLENGE p.39

1 ① **2** ③ **3** ④

모험을 즐기는 사람들에게 많은 다양한 종류의 경주가 있다. 그러나 가장 어려운 대회 중 하나는 사하라 경주이다. 사하라 경주는 사하라 사막을 통과하는 6일간의 도보 경주이다. 참가자들은 뜨거운 사막 모래를 가로질러 150마일을 이동해야 한다. 그들은 또한 자신의 음식, 물, 그리고 침낭, 나침반, 칼, 구급상자와 같은 장비들을 가지고 이동해야 한다. 이러한 이유로 배낭은 대개 매우 무겁다. 무엇보다도, 그들은 사막의 뜨거운 열을 견뎌내야 한다. 이런 모든 역경들은 참가자의 한계를 시험한다. 이런 극한 상황에도 불구하고 약 30개의 다른 나라에서 온 경쟁자들이 매년 이 대회에 참가하고, 이 시합은 그들에게 잊지 못할 경험을 제공해 준다.

| 문제 해설 |

1 참가자들이 견뎌내야 하는 역경들이 앞에 나열되어 있기 때문에 빈칸에는 ①이 가장 적절하다.
① 참가자들의 한계를 시험한다
② 참가자들을 활력 넘치게 만들어준다
③ 참가자들이 경주를 즐기게 해준다
④ 참가자들을 아름다운 오아시스로 안내한다
⑤ 참가자들에게 새로운 문화를 배울 기회를 준다

2 참가자들이 경주를 포기한다는 말은 언급되지 않았다.

3 사하라 경주는 가장 어려운 대회로 많은 역경을 겪게 되지만, 많은 사람들이 참여하며 참가자들에게 잊지 못할 추억을 제공한다는 글로 빈칸에는 competitions와 experience가 가장 적절하다.
사하라 경주는 가장 어려운 대회 중 하나이지만, 그것은 평생에 단 한 번뿐인 경험이 될 것이다.
(A) (B)
① 경주 … 실패
② 여행 … 어려움
③ 여행 … 즐거움
④ 대회 … 경험
⑤ 놀이 … 고난

| 영영풀이 |

1 equipment: 장비, 용품
2 endure: ~을 견디다
3 intense: 격렬한

| 구문풀이 |

15행 **Despite** these extreme conditions, ~. :
despite는 '~에도 불구하고'라는 의미로 양보의 의미를 가진 전치사이고, in spite of와 바꿔 쓸 수 있으며 뒤에 명사구가 온다. '비록 ~일지라도', '~에도 불구하고'라는 의미로 양보의 의미를 가진 접속사에는 although, even though 등이 있다.
in spite of bad weather(명사구) 나쁜 날씨에도 불구하고
although it is rainy(절) 비가 옴에도 불구하고

17행 ~ it offers **them** *an unforgettable experience*. :
「주어+동사+간접목적어+직접목적어」 형태의 4문형에서 offer는 '~에게 …를 제공하다'라는 의미이고, them이 간접목적어, an unforgettable experience는 직접목적어이다. '그것은 그들에게 잊지 못할 추억을 제공한다'라는 뜻이다.

03 | ENTERTAINMENT p.41

1 ② **2** ⑤ **3** ④
4 music, acting

〈레미제라블〉은 전 세계적으로 가장 유명한 뮤지컬 가운데 하나로 같은 제목의 책을 바탕으로 제작된 것이다. 그러나 이 뮤지컬이 처음 공연되었을 때 비평가들은 좋아하지 않았다. 흥미있는 것은 책도 처음 출간되었을 때는 별로 환영을 받지 못했다는 점이다. 1862년에 처음 출판되었을 당시 책은 잘 팔렸지만 신문과 잡지에서는 별로 좋은 책이 아니라고 생각했다. 1985년에 뮤지컬이 초연되었을 때도 티켓은 초기에 매진되었지만 비평가들은 별로 좋아하지 않았다.
나는 〈레미제라블〉은 제일 훌륭한 뮤지컬 중의 하나라고 생각한다. 장발장과 프랑스 대혁명 이후의 프랑스 사회를 다룬 이 이야기는 감동을 안겨 주었고, 음악과 연기는 아주 뛰어났다. 관람료는 상당히 비쌌지만 공연은 그만한 가치가 있었다. (그러나 돈이 충분하지 않으면 그렇게 비싼 뮤지컬을 보느라 돈을 쓰지 말라.) 대형 뮤지컬을 한 번도 본 적이 없는 사람에게 〈레미제라블〉을 볼 것을 권한다. 실망하지 않을 것이다!

| 문제 해설 |

1 글쓴이가 뮤지컬 〈레미제라블〉에 대한 일반적인 설명을 하고 있고 관람 후기와 함께 권유를 하고 있으므로 ②가 가장 알맞다.
① 편지
② 개인적인 후기
③ 인터뷰
④ 이메일
⑤ 도서 리뷰

2 전반적으로 뮤지컬에 대한 칭찬을 하고 있으므로 돈이 충분하지 않으면 그렇게 비싼 뮤지컬을 보느라 돈을 쓰지 말라는 (E)는 흐름과 어울리지 않는다.

3 뮤지컬은 상당히 비싸지만 그만한 가치가 있다고 말하며 관람을 권유하고 있으므로 ④가 적절하다.
① 실망한 ② 비판적인
③ 흥미 없는 ④ 만족한
⑤ 기분이 안 좋은

4 〈레미제라블〉은 전 세계적으로 가장 유명한 뮤지컬 가운데 하나이다. 글쓴이는 음악과 연기가 훌륭하기 때문에 이 뮤지컬을 보라고 권하고 있다. 관람료는 비싸지만 정말로 볼만한 가치가 있다는 것이다.

| 영영풀이 |

1 critic: 비평가, 평론가
2 release: 발매하다, 개봉하다
3 inspiring: 영감을 주는

| 구문풀이 |

1행 *Les Miserables* is one of the world's most famous musicals ~. :
「one of the+최상급+복수명사」는 '가장 ~한 것들 중 하나'라는 의미로 쓰인다.

3행 The interesting thing is that at first, the book was not well received either. :
주어는 The interesting thing, 동사는 is, that이하는 보어로 쓰인 명사절이다.

10행 Although *the tickets were quite expensive*, the show was well worth it. :
worth는 '~할 만한 가치가 있는'이라는 형용사로 뒤에 바로 명사(구)가 나올 수 있다. it은 앞 절에서 언급한 '비싼 표 값'을 가리킨다. 즉, '그 공연은 비싼 표 값을 지불할 가치가 있다'는 뜻이다.

12행 ~ don't spend your money seeing such an expensive musical. :
「spend+시간/돈+-ing」는 '~하는 데 …만큼의 시간/돈을 쓰다'라는 뜻으로 쓰이는 관용표현이다.

Unit 05

Review Test p.42

A

1 equipment 2 intense
3 inspiring 4 complete
5 critic

B

1 ① 2 ⑤ 3 ③

C

1 He had to have his yacht repaired several times.
2 There are many different types of races for adventurous people.
3 Although the tickets were quite expensive, the show was well worth it. / The show was well worth it although the tickets were quite expensive.

A

1 equipment: 장비, 용품
2 intense: 격렬한
3 inspiring: 영감을 주는
4 complete: 끝내다
5 critic: 비평가, 평론가

B

1 shortly: 곧, 금방(= soon)
저녁은 6시 30분 후에 바로 제공될 것이다.
2 endure: 견디다(= put up with)
레이첼은 그와 같이 힘든 상황을 견딜만큼 충분히 강하다.
3 release: 출시하다(= launch)
그 소프트웨어 회사의 새 롤플레잉 게임이 다음 달 출시된다.

C

1 have + 목적어 + p.p. : ~에게 ...하게 하다
(목적어와 p.p.는 수동관계)
2 there are: ~들이 있다
3 worth + 명사: ~할 가치가 있는

01 | CULTURE & CUSTOMS p.45

1 ④ 2 the season or the social class
3 ⓐ were worn ⓑ wear 4 ③

기모노는 일본 전통 의상이고, 단어 '기모노'는 말 그대로 '입을 것'이라는 뜻이다. 기모노는 앞이 터져 있는 긴 T자형 겉옷이다. 그것은 몸을 둘러 감싸게 되고, 천으로 된 혁대로 허리에서 조여진다. 기모노는 대개 색상이 매우 화려하다. 전통적으로 색상은 계절 혹은 그 옷을 입는 사람이 소속되었던 사회 계층을 나타낸다. 기모노의 역사는 길다. 794년부터 전통 기모노를 입기 시작했다. 서양 의복이 도입되기 전까지는 모든 연령과 계급의 남녀노소가 그것을 입었다. 요즘 일본인들은 일상에서 기모노를 거의 입지 않는다. 그들은 결혼식, 장례식, 그리고 '성년의 날'과 같은 특별한 날에만 기모노를 입는다.

| 문제 해설 |

1 기모노에 관한 글로, 요즘은 일본사람들이 특별한 날에만 기모노를 입는다고 말하고 있다.
2 기모노의 색깔은 계절과 입는 사람의 사회 계층을 나타낸다.
기모노의 색깔이 나타내는 두 가지는 무엇인가?
3 ⓐ 주어가 행위를 당하는 수동태이며, 과거 사실을 말하고 있기 때문에 수동태 과거형 were worn이 되어야 하고, ⓑ 주어가 행위의 주체가 되는 능동태이며, 현재 사실을 말하고 있기 때문에 현재시제 wear가 되어야 한다.
4 special occasions에 해당하는 예가 나열되어 있기 때문에 '예를 들어', '~와 같은'이라는 의미의 such as를 고른다.
① ~와는 반대로 ② ~와는 다른
③ ~와 같은 ④ ~ 때문에
⑤ ~ 대신에

| 영영풀이 |

1 literally: 문자 그대로
2 represent: ~을 상징하다
3 funeral: 장례식

| 구문풀이 |

2행 ~ the word "kimono" literally means "**a thing** to wear". :
to wear가 앞에 있는 명사 a thing을 수식하는 to부정사의 형용사적 용법이며, '입을 것'이라는 뜻이다.

7행 ~ the colors represent **either** the season **or** the social class *which the wearer belonged to.* :
「either A or B」는 'A와 B 둘 중 하나'라는 의미의 상관접속사이고, '계절 혹은 입는 사람이 소속되었던 사회 계층'이라는

뜻이다. which는 목적격 관계대명사이고, the social class가 선행사로 관계대명사절의 수식을 받는다.

10행 Traditional kimonos began **to be worn** as early as 794. :
부정사 자체에 수동의 의미를 담고자 할 때 부정사의 수동태를 사용하며, to부정사의 수동태는 「to+be+p.p.」로 나타낸다.

13행 These days Japanese people **rarely** wear them in everyday life. :
rarely는 '드물게', '좀처럼 ~ 않는'이라는 부정의 의미를 갖는 부사로 문장에서 따로 not과 같은 부정어를 쓰지 않는다. 이 외에 부정의 의미를 갖는 부사에는 barely, hardly, scarcely, seldom이 있다.

02 | MYSTERY p.47

1 ④ 2 ④ 3 ships
4 Over the years hundreds of ships and planes have mysteriously disappeared in this area.

수십 년 동안 버뮤다 삼각지의 미스터리는 논쟁의 소재가 되어왔다. 그것(버뮤다 삼각지)은 버뮤다, 푸에르토리코, 플로리다 주변에 있는 대서양에 위치한다. 수년에 걸쳐, 수백 척의 배와 수백 대의 비행기가 이 지역에서 불가사의하게 사라지고 있다. 어떤 사람들은 이러한 사라짐이 외계인과 같은 초자연적인 힘 때문에 일어난다고 믿는다. 또 다른 사람들은 이러한 현상이 버뮤다 삼각지에서는 물리학 법칙이 적용되지 않기 때문이라고 믿는다. 실제로 이 지역은 지구 상에서 나침반이 '자'북이 아니라 '진'북을 가리키는 딱 두 곳 중 한 곳이다. 만약 배와 비행기가 적절하게 자신의 항로를 조정하지 못하면 이것 때문에 길을 잃을 수 있다. 하지만, 버뮤다 삼각지에서 일어나는 불가사의한 배의 실종을 설명하는 많은 자연적인 설명도 있다. 이 지역에서는 거센 폭풍이 자주 발생한다. 이 폭풍은 갑자기 나타나서 배나 비행기에 심각한 손상을 입힐 수 있다. 급속한 조류가 난파된 잔해를 순식간에 휩쓸어 가 버릴 수도 있다. 이것이 구조 임무를 몹시 어렵고 위험하게 만든다.

*진북: 지리상의 기준에 따른 지구의 북쪽 (북극성이 있는 방향)
*자북: 나침반이 가리키는 북쪽(캐나다의 허드슨만 인근)
*도북: 지도상의 북쪽

| 문제 해설 |

1 This가 a compass points "true" north, not "magnetic" north를 가리키므로 주어진 문장이 들어갈 곳은 (D)이다.
2 빈칸 뒤에 나오는 글에서 배나 비행기가 사라지는 현상이 폭풍이나 조류 등의 자연현상 때문이라고 설명하고 있으므로 빈칸에 알맞은 말은 natural explanations이다.
빈칸에 들어갈 말로 가장 적절한 것은?
① 민간 설화 ② 사람의 잘못
③ 악명 높은 해적 ④ 자연적인 설명
⑤ 초자연적인 현상
3 vessel은 배를 의미한다.
4 버뮤다 삼각지가 논쟁의 소재가 되어 왔던 이유는 수년 동안 배와 비행기가 불가사의하게 사라졌기 때문이다.

| 영영풀이 |

1 debate: 논쟁
2 alien: 외계인
3 mission: 임무

| 구문풀이 |

3행 *Over the years*, hundreds of ships and planes have mysteriously disappeared in this area. :
현재완료는 과거부터 현재까지 어떤 사건이 이어지거나 과거의 사건이 현재에 영향을 미칠 때 사용된다. '과거부터 수년 동안(Over the years) 현재까지 수 많은 선박과 비행기가 사라졌다'는 뜻에서 현재완료를 사용한다.

5행 Some people believe that these disappearances happen because of supernatural forces, such as aliens. :
because of는 전치사이므로 뒤에는 명사(구)가 나온다.

7행 Others believe that they are because the laws of physics don't apply in the Bermuda triangle. :
because는 접속사이므로 뒤에는 절이 나온다.

03 | INTERESTING FACTS p.49

1 ① 2 ① 3 ⑤
4 characteristics

사람과 동물은 먹는 것, 자는 것, 가족을 형성하는 것 등 여러 가지 면에서 그 성질과 특징이 같다고 생각하는 사람들이 많지만, 중요한 면에서 차이가 나는 점이 많다. 동물의 왕국에는 여러 가지 흥미롭고 놀라운 사실들은 물론 그 외에 충격적인 사실들이 많다. 예를 들면, 달팽이는 3년 동안이나 잠을 잘 수 있다는 사실을 알고 있었는가? 그리고 북극곰은 모두 왼손잡이라는 사실은 알고 있었는가? 타조의 눈은 그것의 두뇌보다 크다는 사실은 어떤가? 흥미로운 사실은 또 있다. 나비는 다리로 맛을 보며, 메기의 미각 기관인 맛봉오리는 2만 7천 개가 넘으며, 고양이는 백가지가 넘는 소리를 내지만, 개는 열 개밖에 내지 못한다. 악어는 혀를 내밀지 못하고, 코끼리는 껑충 뛰지 못하는 유일한 동물이다. 또 불가사리는 뇌가 없다.

| 문제 해설 |

1 사람과 동물은 먹는 것, 자는 것, 가족을 형성하는 것 등 여러 가지 면에서 같은 성질과 특징을 '공유한다.'라고 해야 자연스럽다.
lack(부족하다) → share(공유하다, 공통적으로 갖다)

2 빈칸 뒤에 동물의 충격적인 예를 설명하는 구체적인 내용이 뒤따르므로 For example(예를 들어)이 적절하다.
① 예를 들어 ② 그런데
③ 게다가 ④ 그러나
⑤ 반면에

3 an ostrich's eye is bigger than its brain을 통해 타조의 눈이 그것의 두뇌보다 더 크다는 것을 알 수 있다.
① 불가사리 ② 북극곰
③ 악어 ④ 코끼리
⑤ 타조

4 동물과 인간은 성질과 특성이 같은 면도 있지만, 다른 점도 많다.

| 영영풀이 |

1 form: 형성하다
2 significant: 중요한, 의미있는
3 brain: 뇌, 두뇌

| 구문풀이 |

2행 ~ like eating, sleeping and forming families, ~:
like는 전치사인데, eat, sleep, form은 동사 형태로 전치사의 목적어로 쓰일 수 없으므로 동명사 형태로 쓰였다.

6행 That all polar bears are left-handed? :
That 앞에는 Did you know가 생략되었다. Did you know는 바로 앞에서 쓰였으므로 반복을 피하기 위해 생략되었다.

Review Test p.50

A
1 significant 2 represent
3 mission 4 debate
5 literally

B
1 ① 2 ③ 3 ②

C
1 The colors represent either the season or the social class which the wearer belonged to.
2 This makes rescue missions very difficult and dangerous.
3 Elephants are the only animals that can't jump.

A
1 significant: 중요한, 의미있는
2 represent: ~을 상징하다
3 mission: 임무
4 debate: 논쟁
5 literally: 문자 그대로

B
1 occasion: 행사(= event)
나는 생일이나 공휴일 같은 특별한 때에만 이 그릇들을 사용한다.
2 turn up: 발견되다(= be found)
내가 찾고 있던 반지가 마침내 욕실에서 나왔다.
3 form: 설립하다(= found)
그 자원 봉사단은 2018년에 노숙자를 돕기 위해 설립되었다.

C
1 either A or B: A 아니면 B
2 make+목적어+형용사: ~를 ...하게 만들다
3 animals: 선행사, that can't jump: 관계대명사절

01 | ENVIRONMENT p.53

1 ② 2 ③

3 (the small island nation of) Kiribati

4 (A) frightening (B) are

연구원들은 드디어 기후 변화가 우리의 환경에 끼치는 영향에 주목하기 시작했다. 예를 들어 해수면 상승은 세계 곳곳에 있는 작은 유인도(有人島)의 존재를 위협하고 있다. 작은 섬나라 키리바시는 호주 근처의 태평양에 위치하고 있다. 이 나라는 지구의 기후 변화 때문에 사라질 지구 최초의 국가가 될 것으로 예상된다. 정부 관리들은 호주와 뉴질랜드에 키리바시의 난민을 받아들여 달라고 요청했다. 바닷물이 계속 차오르면서 더 많은 섬나라의 생존을 위협할 것이다. 심지어 예방 조치로 바누아투에 있는 저지대 섬사람을 대피시키기도 했다. 연구원들은 인도에 매우 근접한 열두 개의 섬들도 위협받고 있다는 것을 발견했다. 지구 온난화 때문에 인간이 치러야 할 대가는 무시무시하다. 어떤 사람들은 전 세계에서 7만 명의 사람들이 현재 해수면 상승 때문에 집을 잃을 위험에 처해 있다고 추정했다.

| 문제 해설 |

1 기후 변화 때문에 해수면이 상승하고 있고, 해수면의 상승으로 섬들이 사라질 위기에 처해 있다는 것이 윗글의 요지이다.

① 키리바시 섬에 사는 동물이 멸종 위기에 처해 있다.

② 기후 변화 때문에 섬들이 사라질 것이다.

③ 기후 변화가 호주에 있는 피난민을 위협하고 있다.

④ 호주는 세계에서 첫 번째로 사라지는 나라가 될 것이다.

⑤ 호주 정부가 해수면 상승에 대해 조사를 하기 시작했다.

2 빈칸 앞에서 기후 변화가 우리 환경에 영향을 미치고 있다는 이야기를 하고, 빈칸 뒤에서 기후 변화가 미치는 영향 중 하나인 해수면 상승의 이야기를 예로 들고 있으므로 '예를 들어'라는 말이 빈칸에 가장 적절하다

① 반면에 ② 결과적으로

③ 예를 들어 ④ 하지만

⑤ 때문에

3 It이 지칭하는 것은 키리바시 섬이다.

ⓐ It이 지칭하는 것은 무엇인가?

4 (A) The human cost of global warming이 두려움을 느끼게 하는 원인이므로 frightening이 적절하다. (B) 70,000 people이 주어이므로 are가 적절하다.

| 영영풀이 |

1 threaten: ~을 위협하다, 협박하다

2 inhabit: ~에 살다, 거주하다

3 evacuate: ~을 피난시키다, 대피시키다

| 구문풀이 |

6행 It is expected to be the first country in the world to disappear due to global climate change. :
expect는 5형식에서 「expect+목적어+to부정사」형식으로 쓰이는데, 이 문장에서 목적어 it이 주어 자리로 나간 수동태 형식으로 쓰이면서 「It is expected to부정사」 형식이 되었다. It은 Kiribati를 가리키는 대명사이다.

8행 Government officials asked Australia and New Zealand to accept refugees from Kiribati. :
ask는 5형식에서 「ask+목적어+to부정사」로 형태로 '~에게 ~해 달라고 요청하다'라는 뜻으로 쓰인다. Australia and New Zealand는 목적어, to accept 이하는 목적보어로 쓰였다.

11행 ~ a dozen islands in close proximity to India are being threatened as well. :
수동태 진행형은 「be동사+being+p.p.」형식으로 쓰인다.

02 | GEOGRAPHY p.55

1 ①

2 Each civilization had something that the other one desired.

3 ⑤ 4 ③

실크로드는 단순한 길이 아니었다. 그것은 몇몇 고대 문명의 중요한 무역로였다. 이 길은 길이가 7,000마일이 넘었다. 그것은 로마와 중국의 고대 문명을 연결했다. 각각의 문명은 다른 문명이 원하는 무언가를 가지고 있었다. 예를 들어, 로마 문명은 금과 보석을 가지고 있었고, 중국은 비단과 향신료를 가지고 있었다. 불행하게도, 실크로드를 따라서 하는 여행은 아주 위험했다. 여행자들은 뜨거운 사막, 위험한 산맥, 강한 바람, 독사, 그리고 강도들을 만났다. 상품 이상의 것들이 이 길을 따라 교역되었다. 실크로드는 또한 문명 간의 문화 사상과 지식을 교환할 수 있게 했다. 이 무역로는 중국, 인도, 이집트, 페르시아, 아라비아, 그리고 로마의 대문명 발달에 중요한 요소였다.

| 문제 해설 |

1 (A) 높이, 무게, 폭, 길이는 「숫자+단위+형용사」 또는 「숫자+단위+in+명사」의 형태로 나타낸다. (B) 주어가 동작이나 행위의 주체가 되는 능동태 문장으로 faced가 와야 한다. (C) more than 뒤에 복수명사(goods)가 왔기 때문에 복수동사 were가 와야 한다.

3 빈칸 뒤에 부정적인 내용이 나오기 때문에 Unfortunately가 가장 적절하다.

① 완전히 ② 곧
③ 갑자기 ④ 마침내
⑤ 불행히도

4 실크로드를 따라 지금도 활발히 교역이 이루어지고 있다는 언급은 없다.

| 영영풀이 |

1 trade: 거래, 교역
2 route: 길, 경로
3 ancient: 고대의

| 구문풀이 |

1행 The Silk Road wasn't **merely** a road. :
부사로 merely는 '한낱', '단지'라는 의미로, '실크로드는 한낱 길에 불과한 것이 아니었다'라는 뜻이다.

9행 More than just goods were traded along this route. :
주어가 동작이나 행위를 당하거나 영향을 받는 대상으로 수동태 문장이며, 「by+행위자」가 생략되었다.

10행 The Silk Road also made **it** possible *to exchange cultural ideas~*. :
「주어+동사+목적어+목적격 보어」 형태의 5문형에서 make, think, believe, find와 같은 동사가 to부정사를 목적어로 취할 때 가목적어 it을 목적어 자리에 두고, 진목적어인 to부정사를 문장 뒤로 보내 「주어+동사+it+목적격 보어+to부정사」 형태가 된다. 이때 it을 가목적어, to부정사구를 진목적어라고 부른다.
The Silk Road also made to exchange cultural ideas possible (×)
→ The Silk Road also made it possible to exchange cultural ideas (○)

03 | SPORTS p.57

1 ② 2 ⑤
3 Ice hockey, football
4 그들은 실제로 단기간 동안 전쟁을 치렀다.

(a) 스포츠를 단순히 재미있게 즐기는 게임 정도로 생각하는가? 많은 나라에게 스포츠는 그것 이상이다. (b) 단순한 오락거리를 뛰어넘어 아주 진지한 행사가 되기도 하는 것이다. 예를 들어, 캐나다에서 아이스하키는 국민의 정체성을 확인하는 아주 중요한 운동이다. 캐나다인이 "캐나다 사람"일 수 있는 것에는 아이스하키가 큰 몫을 차지한다고 말하는 캐나다인들이 많다. (c) 미국에서는 미식축구가 마치 종교처럼 인식되고 있는 곳이 많다. (d) 그 운동이 마치 인생의 가장 중요한 부분이라도 되는 것처럼 연습을 하고, 경기를 하고, 관람하는 사람들이 많은 것이다. (e) 어떤 나라에서는 운동 때문에 커다란 싸움이 벌어지기도 한다. 1970년에는 엘살바도르와 온두라스는 월드컵 축구 예선 경기가 끝난 후에 실제로 단기간의 전쟁을 치르기도 했다.

| 문제 해설 |

1 글의 내용은 스포츠가 단순히 게임을 넘어선 진지한 행사로 여겨지는 경우를 설명하고 있으므로 (b)가 주제로 가장 적합하다.

2 빈칸 뒤에 스포츠가 중요하게 여겨지는 예를 설명하는 구체적인 내용이 뒤따르므로 for example(예를 들어)이 적절하다.

① 그러나 ② 더욱이
③ 그러므로 ④ 마찬가지로
⑤ 예를 들어

3 미식축구가 미국인들에게 중요한 만큼 아이스하키도 캐나다인들에게 중요하다.

4 지문 마지막 문장에서 두 나라가 축구경기 때문에 단기 전쟁을 치렀음을 알 수 있다.

| 영영풀이 |

1 pastime: 오락
2 religion: 종교
3 match: 경기

| 구문풀이 |

6행 Many people train, play, and watch the sport as if it is the most important part of life. :
「as if+주어+동사」는 '마치 ~인 것처럼'이라는 뜻으로 쓰인다.

8행 ~ El Salvador and Honduras actually fought a short war after *a soccer match* that was a World Cup qualifying game. :

that이하는 주격 관계대명사절이 이끄는 형용사절, a soccer match는 선행사이다.

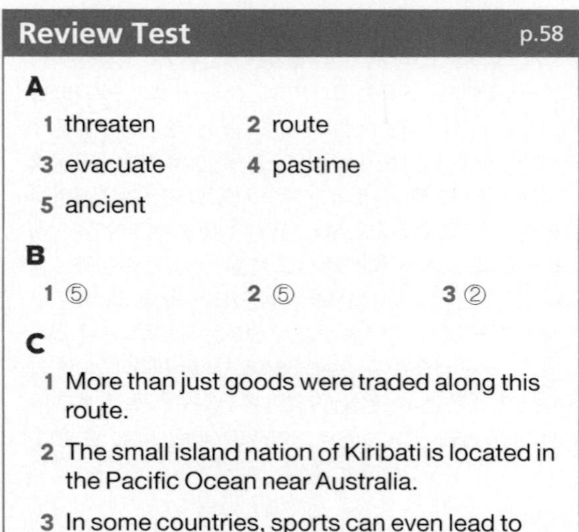

Review Test p.58

A

1 threaten 2 route

3 evacuate 4 pastime

5 ancient

B

1 ⑤ 2 ⑤ 3 ②

C

1 More than just goods were traded along this route.

2 The small island nation of Kiribati is located in the Pacific Ocean near Australia.

3 In some countries, sports can even lead to large fights. / Sports can even lead to large fights in some countries.

A

1 threaten: ~을 위협하다, 협박하다
2 route: 길, 경로
3 evacuate: ~을 피난시키다, 대피시키다
4 pastime: 오락
5 ancient: 고대의

B

1 merely: 그저(= just)
그 축구 선수는 옐로카드를 받자, 그저 웃기만 했다.
2 expect: 예상하다(= predict)
그 계획은 예상대로 성공하지 못했다.
3 country: 나라, 국가(= nation)
32개의 나라가 2018 월드컵에 출전했다.

C

1 수동태: be동사+p.p.
2 be located in: ~에 위치해 있다
3 lead to ~로 이어지다

01 | PEOPLE p.61

1 ④ 2 ③

3 독특한 회화 스타일 때문에

예술에 관심이 있는가? 그렇다면, 당신이 가장 좋아하는 화가는 누구인가? 여기 수많은 사람의 사랑을 받는 그림의 화가가 있다. 파블로 피카소는 1881년 스페인에서 태어났는데, 타고난 예술가였다. 그는 다른(다양한) 양식의 예술을 실험하는 것을 즐겼으며, 평생 조각과 일러스트를 포함하여 2만여 점의 예술 작품을 만들었다. 그는 또한 입체파 창시자로 잘 알려져 있다. 입체파는 사물이 동시에 어떻게 많은 다른(다양한) 각도에서 보일 수 있는지를 보여주는 형태의 예술이다. 그의 독특한 회화 스타일 덕분에 그의 그림은 예술품 수집가들 사이에서 높이 평가된다. 실제로, 피카소의 그림 몇 점은 세계에서 가장 비싼 예술 작품 축에 속한다. 2004년 5월 4일, 피카소의 그림 〈파이프를 든 소년〉은 1억 4백만 달러에 팔렸다! 스페인, 바르셀로나의 피카소 박물관에서 그의 많은 작품을 볼 수 있다.

| 문제 해설 |

1 입체파는 사물이 동시에 어떻게 다른 각도에서 보일 수 있는지를 보여주는 형태의 예술이다. 이 설명에 해당하는 그림은 ④이다.
2 그의 그림 〈파이프를 든 소년〉은 1억 4백만 달러라는 비싼 가격에 팔렸다.
3 피카소의 독특한 회화 스타일 덕분에 그의 그림은 예술품 수집가들 사이에서 높이 평가된다.

| 영영풀이 |

1 gifted: 재능이 있는
2 illustration: 삽화
3 founder: 창시자

| 구문풀이 |

2행 Here is **a painter** whose paintings are loved by millions of people. :
Here is a painter와 His paintings are loved by millions of people 두 문장을 소유격 관계대명사를 이용해 한 문장으로 연결한 문장이다. whose는 소유격 관계대명사이고, a painter는 소유격 관계사절의 수식을 받는 선행사이다.

9행 Cubism is **a style of art** that shows *how an object can be seen ~*. :
how는 show의 목적어절을 이끄는 접속사이다. how 이하는 '어떻게 동시에 많은 다른 각도에서 사물이 보여지는지를'이라는 뜻이다.

11행 ~ several of Picasso's paintings are **among** the most expensive artworks ~. :
among은 '~ 사이에'라는 뜻으로 between과 의미는 같지만, between은 두 개일 때, among은 셋 이상일 때 사용한다.

02 | BRILLIANT INVENTIONS p.63

1 ⑤ 2 ①
3 He called his new invention a hamburger.
4 ③

햄버거를 처음 만든 사람이 누구인지 궁금해한 적이 있는가? 찰리 나그린이라는 이름의 어린 소년이 햄버거를 만들었다는 이야기를 전한다. 1885년, 그는 위스콘신 주에 있는 아우타가미 카운티 박람회에서 햄버거를 팔기 시작했다. 원래, 그는 자신의 푸드 가판대에서 미트볼을 팔았다. 그러나 사업은 거의 진척이 없었다. 사람들은 미트볼을 가져가기 어려워했다. 너무 흩어졌던 것이다. 갑자기, 그는 굉장한 아이디어가 떠올랐다! 그는 미트볼을 납작하게 눌렀다. 그런 다음, 그것을 두 조각의 빵 사이에 넣었다. 그는 자신의 새로운 발명품을 햄버거라고 불렀다. 그는 '햄버거 찰리'라고 알려지게 되었다. 심지어 햄버거 명예의 전당이 찰리의 고향 마을인 위스콘신 주 시모어에 세워지기까지 했다. 그 마을은 매년 8월 첫째 주 토요일에 버거 축제를 연다.

| 문제 해설 |

1 (A) 햄버거를 발명하기 전에 미트볼을 팔았기 때문에 '원래'라는 의미의 Originally가, (B) 미트볼을 납작하게 눌러 빵 안에 넣는 햄버거를 발명할 훌륭한 아이디어가 '갑자기' 떠올랐다는 내용으로 All of a sudden이 적절하다.
빈칸 (A), (B)에 가장 적절한 것은?

(A)		(B)
① 당연히	…	한편
② 처음에는	…	그러나
③ 갑자기	…	요컨대
④ 놀랍게도	…	게다가
⑤ 원래	…	갑자기

2 햄버거 판매에 대한 언급은 없다.
3 'A를 B라고 부르다'라는 의미의 「call A B」를 이용해 영작한다.
4 annual은 '매년의', '연례의'라는 의미의 형용사로 ③이 적절하다.
① 매일 여는 ② 일요일마다 여는
③ 일 년에 한 번 열리는 ④ 매달 개최되는
⑤ 2년에 한 번씩 개최되는

| 영영풀이 |

1 wonder: ~을 궁금해하다
2 brilliant: 멋진, 명석한
3 flatten: 납작하게 만들다

| 구문풀이 |

1행 Have you ever wondered who made the first hamburger? :
Have you ever wondered?와 Who made the first hamburger? 두 문장을 간접의문문으로 연결한 문장으로 who가 의문사 주어이다. 의문사가 주어인 간접의문문은 「의문사+동사」의 어순이 된다.

2행 ~ **a young boy** named Charlie Nagreen invented the hamburger. :
named Charlie Nagreen은 a young boy를 수식하는 과거분사구이고, 'Charlie Nagreen이라는 이름의 어린 소년이 햄버거를 발명했다'라는 뜻이다.

5행 People found **the meatballs** *too difficult to carry around*. :
「주어+동사+목적어+목적격 보어」 형태의 5문형이다. found는 '~이라고 여겼다'라는 뜻이고, the meatballs은 목적어, too difficult to carry around는 목적격 보어로 '사람들은 미트볼이 가져가기 너무 어렵다고 생각했다'라는 의미이다.

03 | SCHOOL LIFE p.65

1 ③ 2 ③ 3 ②
4 extracurricular, outdoor, environmental

요즘 학교들은 과거 어느 때보다 많은 방과 후 활동을 지원하고 있다. 과거에는 동아리 활동이 체스반이나 우표 수집반과 같은 기본 취미 활동에만 국한되었지만 오늘날에는 학생들이 참여할 수 있는 다양한 종류의 활동이 있다. 개인적으로 나는 오리엔티어링 동아리와 환경 동아리, 두 개의 동아리에 참여하고 있다. 오리엔티어링 동아리에서는 격주로 당일치기 여행을 다녀오고 한 학기에 두 번 주말여행을 다녀온다. 이 동아리는 정말 재미있는데, 우리는 여기서 텐트 세우는 법이나 제대로 등산하는 법, 낚시하는 법, 사람이 살지 않는 곳에서 먹거리를 구하는 법, 사람이 다쳤을 때 응급처치 하는 법 등 유용한 야외 캠핑 기술들을 배운다. 환경 동아리에서는 산성비나 오존층, 인구 과잉과 같은 환경 관련 주제에 대해 조사하고, 그룹으로 이런 복잡한 문제들에 대한 해결 방안을 제시하기 위한 계획을 세운다.

| 문제 해설 |

1 오리엔티어링 동아리와 환경 동아리에 대한 자세한 설명 전에 주어진 문장인 '개인적으로 나는 오리엔티어링 동아리와 환경 동아리, 두 개의 동아리에 참여하고 있다.'가 나와야 자연스럽다.

2 ③ 말을 타는 법과 야생 동물에게 먹이 주는 법은 윗글에서 언급되지 않았다.
① 텐트 세우는 법
② 올바르게 등산하는 법
③ 말 타고 야생동물에게 먹이를 주는 법
④ 야생에서 낚시하고 먹거리를 찾는 법
⑤ 누군가 다쳤을 때 응급처치하는 법

3 마지막 문장을 통해 환경 동아리 안에서 환경 관련 주제를 연구하고 해결 방안을 제시하기 위해 계획을 세운다는 것을 알 수 있다.
① 집회를 열고 해결책을 위해 계획을 수립하는 것
② 문제를 해결하기 위해 조사하고 계획을 세우는 것
③ 조사를 하고 나가서 조사 내용을 적용하는 것
④ 친구들과 인구 과잉 문제를 논의하는 것
⑤ 개인적인 문제를 해결하는 방법을 배우는 것

4 요즘 학교들은 다양한 방과 후 활동을 제공하고 있다. 나는 오리엔티어링 동아리와 환경 동아리에 참여하고 있다. 첫 동아리에서는 유용한 야외 캠핑 기술들을 많이 배우는 반면, 다른 동아리에서는 심각한 환경 관련 주제들에 대해 초점을 맞춘다.

| 영영풀이 |

1 wilderness: 사람이 살지 않는 자연 그대로의 지역
2 solution: 해결책
3 complicated: 복잡한

| 구문풀이 |

6행 ~ we learn a lot of useful outdoor camping skills, like how to set up a tent, how to climb a mountain properly, how to fish and find food in the wilderness, *and* how to apply first aid if someone is hurt. :
「how+to부정사」는 각각 전치사 like의 목적어이며, 등위접속사 and로 연결되어 있다.

11행 ~ then write some plans to offer solutions to complicated problems as a group. :
앞에 나오는 to는 to부정사에 쓰인 to로 뒤에 동사(offer)가 따라나오며, 두 번째 to는 전치사로, 뒤에 명사구(complicated problems)가 목적어로 따라온다.

Review Test p.66

A

1 flatten 2 complicated
3 wonder 4 solution
5 founder

B

1 ③ 2 ⑤ 3 ①

C

1 Here is a painter whose paintings are loved by millions of people.
2 Have you ever wondered who made the first hamburger?
3 There are a wide range of activities that students can participate in.

A

1 flatten: 납작하게 만들다
2 complicated: 복잡한
3 wonder: ~을 궁금해하다
4 solution: 해결책
5 founder: 창시자

B

1 gifted: 재능 있는(= talented)
그는 재능있는 작곡가이고, 1000곡 넘게 작곡했다.
2 come up with: ~을 생각해내다(= think of)
당신은 우리 사업을 개선시킬 좋은 생각을 해내야 합니다.
3 properly: 올바르게(= correctly)
그 주차장의 차 중 일부는 올바르게 주차되어있지 않았다.

C

1 whose paintings: 앞서 언급한 화가의 그림들 (whose: 관계대명사의 소유격)
2 who made the first hamburger: wonder의 목적어절
3 that: 관계대명사, 전치사 in의 목적어

01 | ORIGIN p.69

1 ① 2 ② 3 peak 4 ③

청바지의 기원이 14세기 유럽으로까지 거슬러 올라간다는 것을 알고 있었는가? 그렇다! 청바지는 600여 년 전 이탈리아에서 개발되었다. 청바지는 원래 두꺼운 면과 모로 만들어졌다. 청바지는 수세기가 지나면서 크게 변화해 왔다. 18세기에는 청바지가 100% 면으로 만들어졌다. 오늘날 우리가 알고 있듯이 청바지는 리바이 스트라우스 사에 의해 큰 영향을 받았다. 리바이 스트라우스는 19세기 미국의 옷감 상인이었다. 그는 자신만의 사업체를 운영하기 위해 샌프란시스코로 이주했다. 당시 캘리포니아에서 골드러시가 절정에 이르렀고, 금을 캐는 광부에게 튼튼한 작업복이 필요했다. 그는 자신의 청바지를 디자인하여 금을 캐는 광부들에게 팔았다. 그의 청바지 디자인은 여전히 오늘날의 패션 산업에 영향을 미치고 있다.

| 문제 해설 |

1 청바지의 기원과 발달에 대한 글이다.
윗글의 제목으로 가장 알맞은 것은?
① 청바지의 역사
② 청바지를 만드는 방법
③ 청바지를 처음 만든 사람
④ 일류 패션 기업, 리바이스
⑤ 금을 캐는 광부들 사이에서 청바지의 인기

2 금을 캐는 광부들에게 청바지를 만들어준 이유는 그들에게 더 튼튼한 작업복이 필요했기 때문이라고 추측할 수 있다.
① 작업화 ② 작업복
③ 천막 ④ 금광부
⑤ 작업 도구

3 '어떤 것이 가장 최고거나, 가장 크거나, 가장 높은 수준일 때'라는 의미에 해당하는 단어는 peak이다.

4 리바이 스트라우스는 옷감 상인이었다.

| 영영풀이 |

1 industry: 산업
2 merchant: 상인
3 influence: 영향력을 끼치다

| 구문풀이 |

1행 Did you know the origin of blue jeans goes back ~? :
know의 목적어절을 이끄는 접속사 that이 생략된 문장이다. 목적어 역할을 하는 명사절을 이끄는 접속사 that은 생략할 수 있다.

3행 They **were** originally **made from** heavy cotton and wool. :
「be made from ~」는 '~로 만들어지다'라는 의미로 원료의 성질이 남아 있지 않을 때(화학적 변화) 사용하며, 원료의 성질이 남아 있을 때(물리적 변화) 「be made of ~」를 사용한다.
Glass is made **from** sand. 유리는 모래로 만들어진다.
The table was made **of** wood. 그 탁자는 나무로 만들어졌다.

5행 **Jeans**, as we know them today, **were** heavily **influenced** by the Levi Strauss company. :
주어는 Jeans, 동사는 were influenced이다. 주어와 동사 사이에 as we know them today가 삽입된 형태이다.

7행 He moved to San Francisco **to run his own business**. :
to run 이하는 '그의 사업을 경영하기 위해서'라는 의미로 목적을 나타내는 to부정사의 부사적 용법이다.

8행 At that time, the Gold Rush **had reached** its peak in California, ~. :
과거 어느 시점을 기준으로 그 이전부터 기준 시점까지의 완료, 계속, 경험, 결과를 나타내는 과거완료 문장이며, 과거완료는 「had+과거분사」 형태로 나타낸다.

02 | HISTORY & CULTURE p.71

1 ③ 2 ⑤ 3 ⑤
4 have found over 8,500 different soldiers, chariots, and horses

고대 군대를 발견하면 어떨 것 같은가? 1974년에 한 무리의 농부들에게 실제로 그런 일이 일어났다. 중국 산시성 지방에서 그들은 우연히 진시황의 병마용을 발견했다. 그것은 역사상 가장 위대한 고고학적 발견 중 하나로 판명되었다. 이 고대 점토 군인의 군대는 기원전 210년으로 거슬러 올라간다. 중국 최초의 황제인 진시황은 13세 때 그의 부하들에게 이 군대를 만들 것을 명령했다. 그는 그들에게 모든 군인이 다르게 보이도록 만들라고 지시했다. (그는 또한 학자들에게 영원한 삶의 비결을 찾으라고 지시했다.) 고대 역사가에 따르면, 이 군대는 황제가 사후에 자신의 왕국을 통치하는 데 도움을 받기 위해 만들어졌다. 이 동상들을 만드는 데 70만 명의 근로자가 동원되었다. 오늘날까지 8,500개 이상의 군인, 전차, 말이 고고학자들에 의해 발견되었다.

| 문제 해설 |

1 진시황의 병마용의 발견과 병마용의 위대함, 그리고 병마용이 만들어진 이유에 관한 글이다.

윗글의 제목으로 가장 적절한 것은?

① 진시황의 야망: 권력

② 최초 통일 중국: 진왕조

③ 위대한 발견: 진시황의 병마용

④ 진왕조의 시조: 진시황

⑤ 중국의 관광 명소: 진시황의 무덤

2 진시황의 병마용에 대한 글로 영원한 삶의 비결에 관한 내용은 글의 흐름과 관계없다.

3 ① 사후에 자신의 왕국을 통치하는 데 도움을 받으려고, ② 중국 산시성 지방, ③ 한 무리의 농부들, ④ 1974년이며, ⑤에 해당하는 답은 언급되지 않았다.

① 진시황의 병마용은 왜 만들어졌는가?

② 진시황의 병마용은 어디에 위치해 있는가?

③ 진시황의 병마용은 누구에 의해 발견되었는가?

④ 진시황의 병마용은 언제 발견되었는가?

⑤ 진시황의 병마용을 짓는 데 얼마가 걸렸는가?

4 밑줄 친 부분은 주어가 동작이나 행위를 당하거나 영향을 받는 대상이 되는 수동태 문장으로, 행위자 즉, archaeologists가 문장의 주어가 되는 능동태 문장으로 바꾸면 된다. 따라서 have been found를 have found로, 수동태의 주어 over 8,500 different soldiers, chariots, and horses를 능동태의 목적어로 바꾸면 된다.

| 영영풀이 |

1 discover: ~을 발견하다

2 order: 명령하다

3 scholar: 학자

| 구문풀이 |

1행 What do you think **it** would be like **to discover an ancient army**? :

think 다음에 명사절을 이끄는 접속사 that은 생략되었고, that절 안에서 it은 가주어, to 이하는 진주어로 '고대 군대를 발견하면 어떨 것 같은 생각이 드는가?'라는 뜻이다.

2행 ~ that's **what** happened to a group of local farmers ~. :

that은 앞에 언급된 to discover an ancient army를 가리키고, what은 '~하는 것'이라는 의미로 선행사를 포함하는 관계대명사로 '한 무리의 농부들에게 일어난 것'이라는 뜻이다.

6행 This ancient army of clay soldiers **dates back to** 210 BC. :

「date back to+시간」은 '~까지 거슬러 올라가다'라는 의미이고, '진흙으로 만든 고대 군인의 군대는 기원전 210년까지 거슬러 올라간다'라는 뜻이다.

8행 He asked **them** *to make every soldier look different*. :

「주어+동사+목적어+목적격 보어」 형태의 5문형에서 ask는 목적격 보어로 to부정사를 취한다.

03 | INTERESTING FACTS p.73

1 ⑤ 2 ③ 3 ①

4 The red planet

내가 어렸을 때, 화성의 별명이 "붉은 행성"이라는 이야기를 들었다. 왜 화성이 빨간지 이유를 몰랐다. 꽤 최근까지도 이것은 나에게 미스터리로 남아 있었다. 나의 과학 선생님인 메릿스키 선생님은 우리에게 화성은 태양에서 오는 흩어진 빛 때문에 빨간 게 아니라고 설명해 주셨다. 화성은 지구보다도 훨씬 더 얇은 대기를 가지고 있다. 이는 태양에서 온 흩어진 빛이 지구에서처럼 색깔을 만들어내는 데 중요한 역할을 하지 않는다는 이야기이다. 지구에서 보면 화성이 붉게 보이는데, 이것은 화성의 대기 안에 있는 붉게 녹슨 철의 먼지 입자 때문이라고 한다. (비록 선생님 얘기를 듣기는 했지만 난 선생님이 진실을 말했다고는 생각하지 않는다.) 또한 화성의 토양도 붉은 색이라고 선생님은 덧붙이셨다.

| 문제 해설 |

1 글 전체에서 화성에 대한 일반적인 사실을 말하고 있고 글쓴이가 선생님의 설명이 거짓이라고 생각하는 특정한 부분이나 이유가 없으므로 (E)는 흐름상 어울리지 않다.

2 the planet Mars is red not because of the scattered light that comes from the sun을 통해 화성은 태양에서 오는 흩어진 빛 때문에 붉게 보이는 것은 아니라는 것을 알 수 있다.

① 화성의 별명은 "붉은 행성"이다.

② 메렛스키 선생님은 화성이 붉은 이유를 설명했다.

③ 태양으로부터 오는 빛의 산란 때문에 화성은 붉게 보인다.

④ 필자는 화성이 최근까지 붉은 이유를 몰랐다.

⑤ 화성은 대기 중 붉게 녹슨 철 먼지 때문에 붉게 보인다.

3 화성은 지구에 비해 훨씬 얇은 대기를 가지고 있기 때문에 흩어진 빛은 색깔을 만드는 데 있어서 중요하지 않다.

(a) (b)

① 대기 … 흩어진 빛

② 빛 … 색깔을 만드는 것

③ 붉은 철 먼지 … 흩어진 빛

④ 대기 … 색을 만드는 것
⑤ 붉은 철 먼지 … 대기

4 화성은 붉은 행성으로 불린다. 이는 햇살 때문이 아니라 대기 중의 붉게 녹슨 철 먼지 입자 때문이다. 화성의 대기는 지구에 비해 훨씬 얇기 때문에 태양에서 온 흩어진 빛이 지구에서처럼 색깔을 만들어내는 데 큰 역할을 하지 않는다.

| 영영풀이 |

1 mystery: 불가사의
2 atmosphere: 대기
3 scattered: 흩뿌려진

| 구문풀이 |

3행 I didn't know the reason why Mars was "red.": why는 the reason을 선행사로 갖는 관계부사이다. why는 for which(which = the reason)로 바꿔 쓸 수 있다.

6행 My science teacher, *Ms. Meretsky*, explained to us that the planet Mars is red not because of the scattered light that comes from the sun. :
My science teacher와 Ms. Meretsky는 동격이다. explain은 우리말 의미 때문에 4형식 동사로 착각하기 쉽지만 4형식으로 쓰이지 않고 3형식으로 쓰여야 한다. 즉 My science teacher, Ms. Meretsky explained us that ~과 같이 쓰이지 않음에 주의하자.

Review Test p.74

A

1 atmosphere 2 order
3 influence 4 discover
5 merchant

B

1 ④ 2 ⑤ 3 ③

C

1 He designed and sold his blue jeans to the gold miners.
2 What do you think it would be like to discover an ancient army?
3 I didn't know the reason why Mars was red.

A

1 atmosphere: 대기
2 order: 명령하다
3 influence: 영향력을 끼치다
4 discover: ~을 발견하다
5 merchant: 상인

B

1 heavily: 매우, 크게(= greatly)
그의 작품들은 2차 세계대전의 영향을 크게 받았다.
2 construct: 건설하다(= build)
두 도시간의 새 다리는 2022년까지 완공될 것이다.
3 appear: ~처럼 보이다(= look)
토미는 그의 시험 결과에 대해 무척 기분이 상해 보였다.

C

1 designed and sold his blue jeans: 동사끼리 연결된 병렬 구조
2 it: 가주어, to disover ~: 진주어
3 the reason: 선행사, why 이하: 관계부사절 (why = for which)

01 | ARCHITECTURE p.77

1 ② 2 ① 3 ②
4 monument

타지마할이 위대한 사랑 때문에 건설되었다는 것을 알고 있었는가?

(A)

쿠람 왕자는 열네 살의 나이에 한 소녀와 사랑에 빠졌다. 그들은 마침내 결혼했고 행복한 결혼생활을 보냈다. 불행하게도, 그의 사랑스러운 아내는 왕자가 1628년 인도의 황제가 된 지 3년 만에 죽고 말았다.

(C)

슬픔에 빠진 황제는 그녀를 기념하는 아름다운 기념물을 만들기로 결정했다. 그 기념물은 타지마할이라고 명명되었는데, 그것은 '왕관 궁전'이라는 뜻이다. 타지마할은 온통 하얀 대리석으로 지어졌다. 대리석은 아시아 전역에서 공수되었다.

(B)

이런 이유로, 이 건물을 완성하는 데 20년 이상이 걸렸으며, 22,000명의 노동자들이 동원되었다. 오늘날까지 타지마할은 세계 7대 불가사의 중 하나로 남아 있으며, 인도의 상징이 되었다.

| 문제 해설 |

1 타지마할의 건축 배경과 특징에 대한 글로 (A) 타지마할의 건축 배경인 왕자와 한 소녀의 사랑에 대한 내용 – (C) 타지마할 건축 이유와 특징 – (B) 특징에 따른 건축의 소요 시간과 인력 그리고 건축물의 위대함에 관한 내용으로 이어져야 자연스럽다.

2 because와 because of는 '~ 때문에'라는 뜻으로 의미는 같지만, because는 접속사로 뒤에 절(주어+동사)이 오고, because of는 전치사로 뒤에 명사나 대명사가 온다.

3 1628년 왕자가 황제가 된 지 3년 만에 아내가 죽고(1631년), 타지마할을 짓는 데 20년 이상이 걸렸다고 언급하고 있기 때문에 타지마할의 완공 시기는 대략 1651년 이후쯤이라고 유추할 수 있다.
① 타지마할은 흰 대리석으로 만들어졌다.
② 타지마할은 1640년에 완공되었다.
③ 타지마할은 세계에서 위대한 건축물의 예로 여겨진다.
④ 타지마할을 짓는 데 2만 명 이상의 사람이 필요했다.
⑤ 타지마할은 자신의 아내를 기리기 위해 인도의 황제에 의해 지어졌다.

4 중요한 사건이나 유명한 사람을 기리기 위해 지어진 동상이나 건물과 같은 큰 구조물에 해당하는 단어는 monument이다.

| 영영풀이 |

1 beloved: 사랑 받는
2 remain: 남다, 잔존하다
3 symbol: 상징

| 구문풀이 |

8행 ~ the Taj Mahal **remains** one of the seven wonders of the world, ~. :
remain은 '~로 남아있다'라는 의미의 자동사이고, one of the 이하는 주어를 보충 설명하는 주격보어이다.

12행 The monument was named the Taj Mahal, ~.:
'A를 B라고 이름짓다'라는 의미의 「name A B」를 과거 수동태로 전환한 문장이다.

14행 The marble **had to be brought in** from all over Asia. :
조동사가 있는 수동태로 「조동사+be+과거분사(+by+행위자)」의 형태를 취하며, 「by+행위자」는 생략되었다.

02 | ADVENTURE p.79

1 ⑤ 2 (A) to reach (B) for
3 ④
4 (Because) They were short on oxygen.

1953년 5월 29일, 마침내 역사적인 업적이 이루어졌다. 에드문드 퍼시벌 힐러리와 네팔의 셰르파 텐징 노르게이가 세계에서 가장 높은 곳 에베레스트 산에 발을 내디딘 것이었다. 그들은 에베레스트 정상에 오른 최초의 두 사람이었다. 이 임무의 성공은 신중한 계획, 팀워크, 그리고 좋은 날씨 덕분이었다. 모든 팀원은 26파운드의 산소통을 들고 가야 했으며, 마지막 400피트를 오르는 데 2시간 반이 걸렸다. 그들은 정상에 도착하자마자 기쁨과 안도에 겨워 서로 껴안았다. 그러나 산소 부족으로 그들은 정상에 고작 15분밖에 머물지 못했다. 그들은 몇 장의 사진을 찍었고, 텐징은 불교 신자로서 신들에게 바치는 공물로 사탕 몇 개를 눈 속에 묻었다. 마침내, 그들은 국제적인 영웅이 되어 집으로 귀환했다.

| 문제 해설 |

1 힘들게 정상에 올랐지만, 정상에 15분밖에 머물지 못했다는 의미가 되어야 하므로 빈칸에 역접을 나타내는 말이 와야 한다.
① 게다가 ② 간단히 말해서
③ 그러므로 ④ 그 결과
⑤ 하지만

2 (A) '에베레스트 산 정상에 오른 최초의 두 사람'이라는 의미가 되어야 하므로 명사를 수식하는 형용사적 용법의 to부정사가 와야 하며, to부정사는 「to+동사원형」으로 나타낸다. (B)

for와 during은 둘 다 '~동안'이라는 의미지만, for 다음에는 숫자 표현이, during 다음에는 기간을 나타내는 명사가 온다. fifteen minutes는 숫자 표현이기 때문에 for가 적절하다.

3 힐러리와 노르게이가 이전에도 에베레스트 정상에 오르려고 시도했는지는 언급되지 않았다.

4 그들은 산소통을 들고 에베레스트를 등정해야 했으며, 산소가 부족해서 정상에 15분밖에 머물 수 없었다.

힐러리와 노르게이는 왜 정상에 짧은 시간 동안 머물러야만 했는가?

| 영영풀이 |

1 achievement: 업적

2 relief: 안도, 안심

3 summit: 정상, 꼭대기

| 구문풀이 |

9행 The success of this mission was **due to** careful planning, ~. :

「due to+(대)명사」는 '~때문에'라는 의미의 전치사구이다.

12행 **As soon as** they reached the summit, ~. :

「as soon as 주어+동사」는 '~하자마자', '~하자 곧'이라는 의미의 접속사로 '그들은 정상에 도착하자마자'라는 뜻이다.

14행 ~ **because** they were short on oxygen. :

because는 '~때문에', '~이니까'라는 의미로 이유를 나타내는 접속사이다. 이 외에 이유를 나타내는 접속사에는 since, as가 있다. because와 because of는 '~ 때문에'라는 뜻으로 의미는 같지만, because는 접속사로 뒤에 절(주어+동사)이 오고, because of는 전치사구로 뒤에 명사나 대명사가 온다.

because of fog(명사) 안개 때문에

because it is foggy(절) 안개가 꼈기 때문에

03 | MYSTERY p.81

1 ② 2 ② 3 ①

4 They used planks, ropes, and wires (to make the crop circles).

1970년대 후반 영국에 있는 농장에서 이상한 일이 일어나기 시작했다. 이상한 동그라미 문형이 농부의 밭에서 발견되었다. 이 동그라미의 원인은 조사자들에게 완전히 미스터리한 것이었으며, 많은 사람이 그것을 외계인의 소행이라고 믿기 시작했다. 그 원이 외계인 우주선이 착륙할 때 만들어졌을 것이라는 하나의 의견이 제시되었다. 또 다른 의견은 이러한 원이 외계인의 메시지라는 것이었다. 많은 사람이 이러한 원이 외계인 우주선에 의해 만들어지는 것을 목격했다고 주장하기도 했다. 하지만, 이러한 주장을 뒷받침할 만한 증거는 거의 없다. 실제로, 어떤 두 사람이 처음의 크롭 서클을 만든 게 바로 자기들이라고 인정하기도 했다. 그들의 이름은 더그 바우어와 데이브 촐리였다. 그들은 장난으로 서클을 만들었다고 주장했다. 그들은 농부의 밭에 무늬를 만들기 위해 널빤지와 밧줄, 철사 줄을 사용했다. 하지만, 이러한 실토에도 불구하고 많은 사람이 여전히 크롭 서클에 외계인이 관련되어 있다는 의견을 믿는다.

| 문제 해설 |

1 주어가 The origin으로 단수이므로 were가 아니라 was가 와야 한다.

2 빈칸 앞에 크롭 서클을 만든 사람들이 자백했다는 내용이 나오고, 빈칸 뒤에 그러한 자백에도 불구하고 여전히 사람들은 외계인의 관련성을 믿는다는 내용이 나오므로 빈칸에는 역접의 의미를 갖는 접속사가 와야 한다.

① 그러므로 ② 그러나

③ 게다가 ④ 예를 들어

⑤ ~이래로

3 크롭 서클은 영국에서 처음으로 나타나기 시작했으므로 일치하는 것은 ①번이다.

① 크롭 서클은 유럽에서 처음으로 나타났다.

② 조사자들은 크롭 서클의 원인을 쉽게 찾았다.

③ 많은 사람이 실제로 외계인 우주선을 보았다.

④ 더그 바우어와 데이브 촐리는 크롭 서클을 만들었다고 의심을 받았다.

⑤ 사람들은 크롭 서클에 외계인이 관련되어 있다는 의견을 믿지 않는다.

4 그들은 널빤지와 밧줄, 철사 줄을 사용했다.

더그 바우어와 데이브 촐리에 따르면, 그들은 크롭 서클을 만들기 위해 무엇을 사용했는가?

| 영영풀이 |

1 evidence: 증거
2 claim: 주장하다
3 witness: 목격하다

| 구문풀이 |

8행 However, there is very little *evidence* to support those statements. :
little은 불가산 명사를 꾸며준다. a little은 긍정의 의미(약간의) little(거의 없는)은 부정의 의미를 가진다.

10행 They *claimed* to have created the circles as a prank. :
to have created는 완료부정사인데, claimed보다 한 시제 앞서 일어난 일을 나타내기 위해 완료부정사가 쓰였다.

Review Test p.82

A

1 witness 2 relief
3 symbol 4 evidence
5 achievement

B

1 ③ 2 ③ 3 ①

C

1 The marble had to be brought in from all over Asia.
2 It took them two and a half hours to climb the final 400 feet.
3 They claimed to have created the circles as a prank.

A

1 witness: 목격하다
2 relief: 안도, 안심
3 symbol: 상징
4 evidence: 증거
5 achievement: 업적

B

1 remain: ~인채로 남다(= stay)
나는 무슨 말을 해야 할지 몰라서 조용히 있었다.
2 summit: 정상, 꼭대기(= top)
우리는 정상에서 도시 전체를 볼 수 있었다.
3 peculiar: 이상한(= strange)
이것은 내가 이제까지 들어본 것 중 가장 이상한 이야기다.

C

1 수동태가 조동사와 함께 쓰일 때: 조동사+be p.p.
2 it takes+목적어+시간+to부정사: ~가 ...하는 데 ~만큼의 시간이 걸리다
3 완료부정사(to have created)는 claimed보다 한 시제 앞서 벌어진 사건임을 표시하기 위해 사용

01 | WINTER EVENTS p.85

1 ① 2 ④ 3 ⑤
4 ten thousands of dollars in cash but also a pickup truck

아이디타로드 개썰매 경주는 참가자들과 인간의 가장 좋은 친구인 개에게 있어서 큰 도전이다. 경주는 알래스카에서 매년 3월 첫째주 토요일에 시작된다. 개썰매 몰이꾼(머셔, musher)이라고 불리는 썰매 운전자는 1,770킬로미터의 거리를 10일에서 17일 동안 12마리에서 16마리로 이루어진 한 팀의 개를 이끈다. 각 팀은 경주를 완주하기 위해 종종 눈보라, 영하의 기온, 강한 바람을 뚫고 경주한다. 온도는 섭씨 영하 38도까지 내려갈 수 있으며, 경주로는 얼어붙은 툰드라, 울창한 숲, 그리고 얼어붙은 강으로 이어진다. 이 경주는 1973년 가장 뛰어난 개썰매 몰이꾼과 그의 개들을 시험하기 위한 행사로 시작되었으며, 세계에서 가장 유명한 개썰매 경주가 되었다. 매년 60여 팀이 경쟁한다. 우승자에게는 현금 수만 달러뿐만 아니라 소형 오픈 트럭이 수여된다.

| 문제 해설 |

1 알래스카에서 열리는 아이디타로드 개썰매 경주(Iditarod Trail Sled Dog Race)라고 불리는 눈썰매 경주에 관한 글이다.
윗글의 제목으로 가장 적절한 것은?
① 개와 함께 달리는 흥미 있는 경주
② 사람과 개 사이의 우정
③ 알래스카 황무지 탐험하기
④ 추위에서 살아남는 법
⑤ 가장 힘든 경주에서 우승하기

2 '~만큼 …한'이라는 의미의 원급 비교는 「as + 형용사/부사의 원급 + as」로 나타낸다. 따라서 lower가 아니라 low가 와야 한다.

3 ① 1973년, ② 트럭과 현금 수만 달러, ③ 10일에서 17일, ④ 알래스카, ⑤에 해당하는 답은 언급되어 있지 않다.
① 경주는 언제 시작되었나?
② 경주 우승자는 무엇을 받는가?
③ 몰이꾼(머셔)은 얼마동안 개를 몰아야 하는가?
④ 경주는 어디에서 열리는가?
⑤ 왜 경주가 그렇게 유명한가?

4 상관접속사 「A as well as B」는 'B뿐만 아니라 A도'라는 의미이며, 「not only B but also A」와 바꿔 쓸 수 있다.

| 영영풀이 |

1 frequently: 자주
2 dense: 밀집한
3 challenge: 도전

| 구문풀이 |

3행 The race begins on the first Saturday in March **every** year in Alaska. :
every는 '~마다', '매 ~'의 의미로 단수명사를 수식한다. '알래스카에서 매년 3월 첫째 주 토요일'이라는 뜻이다.

8행 **Each team** frequently races through blizzards, ~ to complete the race. :
each는 '각자', '각각의'라는 의미로 단독으로 쓰이거나 단수명사를 수식한다. to complete the race는 '경주를 완주하기 위해서'라는 의미로 목적을 나타내는 to부정사의 부사적 용법에 해당한다.

11행 This race began in 1973 as **an event** to test the best mushers and their dogs ~. :
'최고의 개썰매 몰이꾼과 그의 개들을 시험하기 위한 행사'라는 의미로 앞에 있는 명사 event를 수식하는 to부정사의 형용사적 용법에 해당한다.

02 | CULTURE & CUSTOMS p.87

1 ③
2 (a) 미국에 그것이 풍부했기 때문에
(b) 청교도가 미국에 도착한 이래로
3 영국을 공격하러 오던 스페인 함대가 침몰했다는 소식
4 ④

칠면조를 먹는 것이 어떻게 추수감사절의 전통이 되었는지 아는가?

(B)

사실, 몇 가지 다른 설들이 있다. 한 이야기에 따르면, 이 전통은 16세기 영국으로 거슬러 올라간다. 엘리자베스 여왕 1세가 구운 거위를 가지고 추수제를 축하하고 있는데 스페인의 무적함대가 영국을 침공하러 오던 도중 침몰했다는 소식이 그녀에게 전해졌다.

(C)

예상치 못한 기쁜 소식에 그녀는 구운 거위 하나를 더 주문했다. 이렇게 해서 영국에서 구운 거위는 추수제에 가장 인기 있는 음식이 되었다. 청교도 순례자들이 영국을 떠날 때, 이들은 이 전통도 함께 가져왔다.

(A)

그러나 칠면조가 미국에 풍부했기 때문에 거위는 곧 야생 칠면조로 대체되었다. 청교도가 미국에 도착한 이래로 추수감사절에 칠면조를 먹고 있다.

| 문제 해설 |

1 추수감사절에 칠면조를 먹게 된 유래에 관한 글로 (B) 여러 기원 중 엘리자베스 여왕 1세의 이야기 소개 – (C) 추수제에 구운 거위를 먹게 된 이유 – (A) 거위가 칠면조로 바뀌게 된 내용으로 이어져야 자연스럽다.

2 since는 이유를 나타내 '~ 때문에'이라는 의미와, 시간을 나타내 '~이래로'라는 의미로 쓰이는 접속사이다.

3 the news는 뒤따르는 that절과 동격을 이루므로 that절 안의 내용인 스페인 함대가 침몰했다는 소식을 가리킨다.

4 앞에 구운 거위가 어떻게 추수제에 사람들이 가장 좋아하는 음식이 되었는지에 관한 내용이 나오기 때문에 this tradition은 '추수제에 구운 거위를 먹는 것'에 해당한다.

ⓑ 이 전통이 가리키는 것은 무엇인가?

① 좋은 소식을 전하는 것

② 구운 거위를 하나 더 주문하는 것

③ 축제 동안 야생 칠면조를 잡는 것

④ 추수제 때 구운 거위를 먹는 것

⑤ 추수를 기념하기 위해 가장 좋아하는 새를 먹는 것

| 영영풀이 |

1 replace: ~을 대신하다

2 abundant: 풍부한

3 celebrate: ~을 축하하다

| 구문풀이 |

1행 Do you know how eating turkey became a Thanksgiving Day tradition? :

Do you know?와 How did eating turkey become a Thanksgiving Day tradition? 두 문장을 간접의문문으로 연결한 문장으로 간접의문문에서 의문사가 접속사 역할을 하며, 「의문사+주어+동사」의 어순이 된다.

6행 Turkey **has been eaten** on Thanksgiving Day *since* the Pilgrims arrived in America. :

「have/has+been+과거분사(+by+행위자)」 형태로 완료 수동태이고, '~되어 왔다'라는 뜻이다. since는 '~이래로'라는 의미의 시간을 나타내는 접속사로 주로 현재완료의 계속적 용법과 함께 쓰인다.

11행 ~ she received **the news** that Spanish armada *had been sunk* ~. :

that은 동격의 that으로 앞에 오는 명사 the news와 that절은 같은 내용이다. 동격의 절을 이끄는 명사는 news, idea, fact, opinion 등이다. that절에서 과거에 일어난 두 가지 일의 순서를 나타내기 위해 먼저 일어난 일을 대과거 「had+과거분사」 형태로 나타냈으며, 주어 Spanish armada가 동작이나 행위를 당하거나 영향을 받는 대상으로 수동태 「had+been+과거분사」 형태가 되었다.

03 | ENVIRONMENT p.89

1 ⑤

2 Do you know how important the rainforest is to the survival of our planet?

3 ④ 4 ②

우리 지구의 생존에 열대우림이 얼마나 중요한지 알고 있는가? 열대우림은 무수한 식물과 동물종의 서식지이다. 열대우림은 지구와 지구에 사는 생명체에게 산소를 공급한다. 열대우림은 또한 태양의 직사광선으로부터 토양을 보호한다. 마지막으로 숲의 나무는 온실가스를 흡수하는 데 있어서 중대한 역할을 한다. 하지만, 세계의 열대우림은 놀라운 속도로 베어져 가고 있다. 산림 파괴가 현재의 속도로 (빠르게) 진행되는 데에는 몇 가지 이유가 있다. 농업의 확장이 중요한 요인이다. 농부들은 농작물을 재배하고 가축을 방목하는 공간을 더 많이 확보하려고 숲을 베어낸다. 벌목 작업 역시 수없이 많은 나무 파괴에 책임이 있다. 자연 화재는 삼림 파괴의 또 다른 원인이 된다. 많은 회사가 열대우림의 회복을 도우려 하고 있다. 그 회사들은 자기들이 베어낸 나무를 대체하도록 고안된 대규모 프로젝트를 시작했다.

| 문제 해설 |

1 앞부분은 열대우림의 역할이, 뒷부분은 열대우림이 사라지는 산림 파괴가 일어나는 이유가 나열되어 있다.

① 온실가스의 영향

② 식물과 동물의 중요성

③ 위협 받는 동물과 식물 보호

④ 열대우림에 나무 심기 운동

⑤ 열대우림의 역할과 산림 파괴의 이유

2 간접의문문의 일부가 되는 의문문은 「의문사 + 주어 + 동사」의 어순이 된다. how important가 의문사에 해당, the rainforest가 주어, is가 동사이다.

3 농부들이 곡식을 재배하고 가축을 방목하는 공간을 마련하려고 나무를 벤다고 했으므로 빈칸에는 '농업의 확장'이 들어가야 한다.

① 지구 온난화 ② 동물 사냥

③ 온실 효과 ④ 농업의 확장

⑤ 나무로 집을 짓는 것

4 지문에 언급된 내용은 열대우림이 다양한 종류의 곡물과 동물성 식품을 공급해 준다는 것이 아니라 곡물과 동물을 키우는 것 때문에 열대우림이 사라지고 있다는 것이다.

① 살아 있는 생물의 거주지가 되어 주는 것

② 다양한 종류의 곡물과 동물성 식품을 공급하는 것

③ 지구와 사람과 동물에게 산소를 공급하는 것

④ 태양 광선으로부터 지구를 보호하는 것

⑤ 온실가스를 흡수하는 것

| 영영풀이 |

1 countless: 셀 수 없는, 무수한

2 absorb: ~을 흡수하다, 빨아들이다

3 current: 현재의

| 구문풀이 |

6행 Yet, the world's rainforests are being cut down at an alarming rate. :
수동태 진행형은 「be+being+p.p.」 형태로 나타낸다.

8행 Farmers cut down forests to provide more room for planting crops **and** grazing livestock. :
등위접속사는 문법적으로 동일한 요소끼리 연결한다. 예를 들어, 명사는 명사끼리, 동사는 동사끼리, 동명사는 동명사끼리, to부정사는 to부정사끼리 연결된다.

11행 Many companies have *attempted* to help restore the rainforests. :
attempt(~를 시도하다)는 to부정사를 취한다. help는 to부정사와 동사원형을 둘 다 목적어로 가질 수 있다.

Review Test p.90

A

1 abundant 2 challenge
3 current 4 replace
5 absorb

B

1 ④ 2 ② 3 ②

C

1 The winner is awarded a pickup truck as well as ten thousands of dollars in cash.
2 Turkey has been eaten on Thanksgiving Day since the Pilgrims arrived in America.
3 The world's rainforests are being cut down at an alarming rate.

A

1 abundant: 풍부한
2 challenge: 도전
3 current: 현재의
4 replace: ~을 대신하다
5 absorb: ~을 흡수하다, 빨아들이다

B

1 dense: 짙은(= thick)
짙은 안개 때문에 모든 비행기가 지연되었다.
2 arrive in: 도착하다(= reach)
우리가 런던에 도착했을 때, 춥고 비가 왔다.
3 crucial: 중요한(= critical)
제임스는 그 팀의 승리에 중요한 역할을 했다.

C

1 4형식 수동태: 간접목적어 + be동사+ p.p. + 직접목적어 / 직접목적어 + be동사 + p.p. + 전치사(for/to/of) + 간접목적어
2 since + 시간 명사 / 절: ~이래로
3 수동태의 현재진행형: be동사 + being + p.p.

Workbook

Unit 01 p.92

A

1 honor
2 cleansed
3 eventually
4 temporary
5 tend

B ③

C

Unit 01-01

stretches, in length, millions of people, important religiously, a goddess, at least one pilgrimage, to bathe, cleanse their soul

Unit 01-03

cause problems, electromagnetic waves, a brain tumor, your health, vocal chords, more than 10 minutes, particularly on cellphones

Unit 02 p.94

A

1 introduce
2 apply
3 invented
4 origin
5 decided

B ③

C

Unit 02-01

underground train systems, reduce heavy traffic congestion, steam powered, would gather, very uncomfortable, first electric subway cars, spread very quickly

Unit 02-02

there were no calendars, make any future plans, cycle of the Moon, measured each month, first phase, Full Moon, new month, failed to spread, the passage of time

Unit 03 p.96

A

1 religion
2 achieve
3 served
4 distinct
5 mental

B ③

C

Unit 03-01

faithful followers, not a god, enlightenment, ancient Indian prince, full of pain, free ourselves, at peace, good behavior

Unit 03-03

seven colors, in reality, distinct colors, greenish, depends on, perceive different colors, moisture, sunlight

Unit 04 p.98

A

1 experienced
2 violent
3 attempted
4 adventurous
5 worth

B ⑤

C

Unit 04-02

adventurous people, six-day footrace, hot desert sands, food, water, equipment, have to endure, test the limits, unforgettable experience

Unit 04-03

the same title, was first released, not well received, was first performed, not happy, most wonderful musicals, was inspiring, well worth it, won't be disappointed

Unit 05 p.100

A

1 traditional
2 disappeared
3 occurrence
4 currents
5 significant

B ②

C

Unit 05-02

topic of debate, mysteriously disappeared, supernatural forces, laws of physics, magnetic, get lost, natural explanations, Fierce storms, sweep away wreckage, rescue missions

Unit 05-03

share, significant differences, animal kingdom, sleep for three years, left-handed, bigger than, with its feet, vocal sounds, don't have brains

Unit 06 p.102

A

1 proximity
2 civilizations
3 exchanged
4 possible
5 identity

B ①

C

Unit 06-02

important trade route, It connected, the other one desired, silk and spices, poisonous snakes, exchange cultural ideas, significant factor

Unit 06-03

fun and games, simply a pastime, national identity, like a religion, as if, lead to large fights, fought a short war

Unit 07 p.104

A

1 unique
2 experiment
3 messy
4 suggested
5 extracurricular

B ⑤

C

Unit 07-01

are loved, a gifted artist, experimenting, sculptures and illustrations, many different angles, highly valued, most expensive artworks

Unit 07-03

more extracurricular activities, collecting stamps, participate in, go on day trips, outdoor camping skills, apply first aid, researching environmental subjects, solutions to complicated problems

Unit 08 p.106

A

1 originally
2 peak
3 emperor
4 local
5 ruled

B ③

C

Unit 08-02

it would be like, that's what happened, accidentally discovered, greatest archaeological finds, dates back, construct this army, look different, in the afterlife

Unit 08-03

I was told that, the reason why, until quite recently, the scattered light, thinner atmosphere, red rusted iron dust particles, as well

Unit 09 p.108

A

1 wonders
2 historic
3 peculiar
4 involvement
5 international

B ⑤

C

Unit 09-01

great love affair, fell in love, happy marriage, three years later, a beautiful monument, white marble, seven wonders

Unit 09-03

Strange circular patterns, a complete mystery, responsible for them, by alien ships, messages from aliens, very little evidence, admitted their role, to have created, extraterrestrial involvement

Unit 10 p.110

A

1 harvests
2 restored
3 frozen
4 crucial
5 attacked

B ⑤

C

Unit 10-01

a big challenge, a team of twelve, through blizzards, as low as, frozen tundra, the best mushers, a pickup truck

Unit 10-02

eating turkey, goes back to, roast goose, on its way, the unexpected news, brought this tradition, wild turkey, the Pilgrims arrived